Markus Hederer

COURIR POUR MAIGRIR

- ● Perdre du poids facilement et sans contraintes
- ● Les aliments qui favorisent la combustion des graisses
- ● En supplément : des exercices pour un corps de rêve

VIGOT

Sommaire

PRATIQUE

Avant-propos

« Il faudrait que je perde quelques kilos, mais comment faire ? ». C'est simple, courez ! Les dépenses d'énergie que représente l'exercice se répercutent directement sur les zones à problème, car c'est là que les graisses sont brûlées et transformées en muscles. Pour optimiser les bénéfices de votre entraînement, mangez équilibré ! Une bonne alimentation apporte à l'organisme les glucides, les lipides et les protéines dont il a besoin pour fonctionner correctement ainsi que des vitamines, des sels minéraux et des oligo-éléments en quantité suffisante. Bien combinés, ces nutriments vous permettront de perdre du poids, de rester durablement mince et de conserver sans difficulté votre silhouette de vingt ans.

Courir et manger équilibré sont les deux éléments indispensables à l'obtention et au maintien d'un poids idéal. Ce sont comme les rails d'une voie ferrée. S'il en manquait un, vous n'iriez pas loin.

Soigner son apparence physique n'est toutefois pas le seul enjeu du jogging. Le surpoids représente en effet un risque majeur pour la santé, notamment en ce qui concerne le système cardio-vasculaire et le métabolisme. Or courir régulièrement permet d'éviter ces problèmes. Vous vous sentirez en outre mieux dans votre peau et plus détendu, tout en étant plus tonique.

En parallèle, il vous faudra aussi vous occuper de l'un de vos organes les plus importants, à savoir votre musculature. Pour brûler beaucoup de graisses, soutenir correctement la charpente osseuse et protéger ligaments, tendons et articulations, les muscles doivent être puissants. Sans parler de l'attrait qu'exerce un corps développé.

Le but de ce livre est de vous aider à retrouver toute votre vitalité. Il vous apprendra tout ce que vous devez savoir sur le jogging en fonction de votre niveau, sur le renforcement musculaire et sur l'alimentation. C'est le compagnon indispensable pour qui veut atteindre et conserver son poids idéal.

Je vous souhaite beaucoup de plaisir et le plus grand succès dans votre démarche.

Markus Hederer

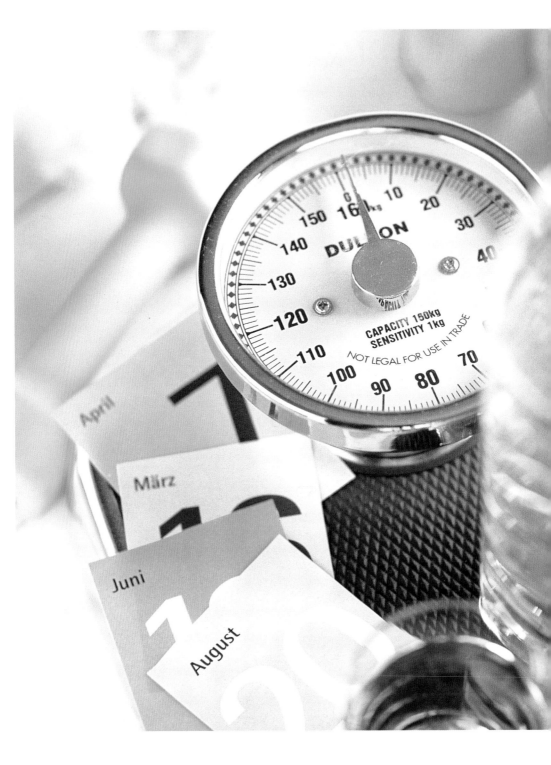

Retrouvez la silhouette de vos 20 ans

Vous avez déjà fait plusieurs régimes, mais aucun n'a donné de résultats satisfaisants sur la durée ? Si vous voulez vraiment maigrir, renoncez tout d'abord aux privations. Il vaut beaucoup mieux revoir simplement vos habitudes alimentaires et courir régulièrement ! Avec le jogging, c'est le succès assuré. Mais attention ! Qui dit courir ne dit pas forcément s'époumoner et transpirer à grosses gouttes. La manière la plus efficace de travailler est de s'entraîner calmement : aérez-vous l'esprit et laissez les enzymes vider vos cellules graisseuses de leur substance. Non seulement vous atteindrez et conserverez ainsi votre poids d'équilibre, mais vous déborderez aussi d'énergie et de vitalité.

Je cours, donc je maigris !

« Autrefois, les gars étaient perchés dans les arbres... ». C'est par ces mots que commence le poème de l'écrivain allemand Erich Kästner intitulé *Le développement de l'humanité*. Cela est certainement vrai, mais les « gars » en question ne passaient certainement pas tout leur temps juchés sur les branches à se gratter le ventre. Il fallait bien qu'ils se nourrissent, et pour cela qu'ils courent après leurs proies. De même, ils prenaient régulièrement leurs jambes à leur cou devant le danger. Lorsque, il y a 100 000 ans de cela, l'Homo sapiens fit son apparition sur le devant de la scène, son plus grand souci fut d'avoir assez à manger pour pouvoir subsister. Ce n'est qu'après la chasse et la cueillette, une fois repus, qu'il pouvait s'adonner au farniente, soucieux de dépenser le moins possible de cette énergie si chèrement obtenue. Mais dès que la faim se faisait à nouveau sentir, il quittait son repère en quête de nouvelle pitance. Le surpoids était alors chose inconnue.

Nos ancêtres étaient sans cesse en mouvement

Pourquoi la tendance aux bourrelets ?

Les personnes ayant un poids normal sont aujourd'hui minoritaires dans la plupart des pays d'Europe et la tendance s'accentue. Environ 65 % des hommes et 50 % des femmes sont en surpoids. Le nombre des enfants et des adolescents touchés par ce phénomène a presque doublé en 20 ans. Or la surcharge pondérale est, avec le tabagisme et le manque d'exercice, l'un des principaux facteurs d'accélération des processus de vieillissement, donc de diminution de la qualité et de l'espérance de vie.

C'est dans les gênes

Nous jouissons aujourd'hui pour la plupart d'entre nous, du moins dans les pays développés, des acquis de la civilisation moderne. Lorsque nous ne conduisons pas, nous nous laissons conduire et passons beaucoup de temps devant la télé, de préférence confortablement assis dans un canapé. L'offre en matière de produits alimentaires est considérable, et nous ne choisissons pas toujours ce qu'il y a de meilleur pour la santé. Pourtant notre programme génétique n'a pas changé depuis l'origine. Nous

L'homme moderne est un pantouflard

L'Homo sapiens mangeait sainement

sommes faits pour la course, la chasse et la cueillette. En ces temps reculés, l'être humain se nourrissait de la viande d'animaux sauvages qu'il abattait lui-même. Lorsqu'il revenait bredouille de la chasse, les fruits cueillis aux arbres et aux arbustes lui apportaient tous les nutriments nécessaires pour survivre durant les périodes où le gibier se faisait rare.

Le stockage des graisses

Le programme génétique humain pourrait se résumer en ces termes : « Mange raisonnablement et ne gaspille pas les calories inutilement ». Ce programme a toujours cours. Seulement autrefois l'homme devait chasser pour subsister et donc parcourir de grandes distances à pied, et généralement en courant, s'il voulait revenir avec quelque chose. Aujourd'hui, nous prenons la voiture pour aller faire nos courses, nous mangeons volontiers au restaurant et n'avons que quelques pas à faire pour atteindre le réfrigérateur. Comment, dans ces conditions, nous conformer à notre programme génétique ? Nos cellules adipeuses sont avides de graisses et, une fois qu'elles les tiennent, ne les rendent pas volontiers. Une grande partie de ce que nous mangeons — charcuterie, sauces, chocolat, etc. — contient beaucoup de lipides. Selon l'Agence allemande pour l'alimentation, nos voisins d'Outre-Rhin consommeraient en moyenne 140 g de graisse par jour, c'est-à-dire deux fois plus qu'il n'en faut.

Pour avoir de quoi manger, il suffit aujourd'hui d'ouvrir le frigo

Surpoids : attention danger

Les personnes dont le corps contient trop de graisses courent de grands risques pour leur santé. Elles sont davantage menacées par :

- l'hypertension
- les troubles du métabolisme lipidique
- les calculs biliaires
- les lésions articulaires
- la goutte
- l'infarctus
- la faiblesse myocardique
- le cancer
- l'apnée du sommeil
- les accidents vasculaires cérébraux
- le diabète de type II

Un organe s'atrophie

La musculature est notre organe le plus étendu et le seul à être capable de brûler les graisses. Mais cela fait bien longtemps que nous n'en avons plus besoin pour chasser et cueillir. Comme nous ne sommes plus obligés de parcourir des kilomètres à pied pour couvrir nos besoins alimentaires, nos muscles s'atrophient et consomment moins d'énergie. Cela a pour conséquence que les calories que nous ingérons ont tout loisir de s'installer à demeure dans nos cellules graisseuses, dont le volume peut augmenter jusqu'à 200 fois. On en voit le résultat sur la balance.

Combustion de graisse seulement dans les muscles

Notre modèle : les ancêtres

Les chasseurs-cueilleurs de la préhistoire avaient à leur menu de la viande cuite d'animaux sauvages, ainsi que des baies et des racines. En d'autres termes, ils bénéficiaient d'un apport en substances vitales bien supérieur au nôtre. Or ces substances, dont la vitamine C, la vitamine B6, le magnésium et les oligo-éléments, sont nécessaires à la combustion des graisses. Malheureusement, les produits alimentaires que nous consommons aujourd'hui en contiennent généralement très peu. Avec la restauration rapide et les plats cuisinés, les carences sont préprogrammées.

Plats cuisinés : note insuffisante

La recette : exercice et alimentation équilibrée

Nos ancêtres étaient obligés de bouger constamment pour survivre. C'est également notre cas, mais dans un sens complètement différent. L'homme moderne brûle quotidiennement beaucoup moins de calories que ses prédécesseurs, mais en ingère toujours autant, voire plus, par

La course à pied — pour brûler les graisses

● Le jogging est un sport d'endurance. Durant tout travail d'endurance, le corps brûle plus de graisse qu'à l'accoutumée. Plus on s'entraîne souvent et régulièrement, plus sa capacité de combustion s'accroît.

● Le fait de courir régulièrement régule l'appétit. La combustion accrue du glucose sanguin durant l'effort se traduit par une moindre libération d'insuline, hormone produite par le pancréas pour dégrader les sucres, et donc par une diminution de l'appétit.

● Le corps brûle plus de calories, non seulement en cours d'effort, mais aussi pendant les 24 heures qui suivent.

l'alimentation courante. Aussi court-il davantage le risque de succomber au surpoids. Alors, que faire ?

Ce sont les muscles qui coachent

Si vous voulez vous débarrasser de votre graisse, la brûler, il n'y a qu'une solution en plus d'une alimentation équilibrée : l'exercice physique. Pour cela, vous allez avoir besoin de la force de vos muscles. Aussi est-il impératif de devenir sportivement actif et de laisser vos muscles, jusque-là négligés, reprendre les commandes.

Courir et manger équilibré : voilà la clé du succès

Avec ce livre, vous avez opté pour le jogging. Alors sachez que courir sollicite 70 % de la musculature, prioritairement bien sûr au niveau des jambes et des fesses, mais aussi dans le tronc et les bras. Dans chaque région ainsi mise à contribution des graisses seront brûlées, et d'autant plus sûrement que vous courrez plus longtemps. Au bout de seulement quelques mois d'entraînement régulier, la combustion tournera à plein régime.

Mangez : pas moins, mais mieux

Les milliards de cellules dont se compose notre corps ont besoin chaque jour d'un apport considérable en « matériaux de construction » de qualité ainsi que de beaucoup d'énergie. Nos organes ne sont pleinement opérationnels qu'à condition de bénéficier en permanence de tous les nutriments dont ils ont besoin. Dans ce cas, le système immunitaire et le système hormonal fonctionnent parfaitement et il y a coordination parfaite entre les muscles et les nerfs.

Veillez, par une alimentation équilibrée, à préserver votre métabolisme. Donnez à votre corps ce dont il a besoin et évitez le stockage. Nourrissez-vous comme les chasseurs-cueilleurs d'antan : mangez des viandes maigres, des noix, des graines et surtout, beaucoup de fruits et légumes ou, pour dire les choses autrement, des protéines à haute valeur nutritionnelle, de bons glucides, des graisses essentielles et des substances vitales en quantité suffisante. Vous trouverez des conseils en matière d'alimentation aux pages 96 et suivantes.

Les légumineuses contiennent des protéines végétales, des sels minéraux et des vitamines

De la nourriture aux nutriments

Nous dépensons de l'énergie même en dormant, ne serait-ce que pour respirer, régler la température de notre corps et faire fonctionner notre système cardio-vasculaire. Les besoins du corps en énergie sont couverts par le métabolisme énergétique, grâce à la combustion de sucres et de graisses. Notre organisme fabrique dix millions de cellules à la seconde, ce qui veut dire que notre corps se régénère toutes les heures. Il a surtout besoin pour cela de protéines. Mais les glucides, les lipides et les protides ne seraient d'aucune utilité sans les précieux auxiliaires que sont les vitamines, les sels minéraux et les oligo-éléments, à juste titre appelés substances vitales.

Les substances vitales sont indispensables à la régénération cellulaire

Ne jamais associer graisses et sucres !

Des études scientifiques ont prouvé qu'à teneur égale en lipides, la consommation d'un produit alimentaire sucré se traduit au final pour le métabolisme par un apport de graisse supérieur de 60 % par rapport à un produit non sucré. Aussi évitez le plus possible les aliments qui associent graisses et sucres ! Si vous êtes pris d'une fringale, oubliez donc le chocolat au lait et la tarte à la Chantilly et rabattez-vous sur la salade de fruit ou le müesli au yaourt maigre.

Glucides : simples ou complexes

Du glucose pour la production d'énergie

Aussi bizarre que cela puisse paraître, il existe des bons et des mauvais glucides. Schématiquement, les glucides sont des molécules de sucre, plus ou moins grosses, que le corps transforme en glucose, substance servant directement à la production d'énergie. On les trouve dans les aliments sous plusieurs formes : la forme simple, c'est-à-dire composée d'une ou deux molécules, comme le glucose, le fructose, le maltose ou le saccharose, et la forme complexe, c'est-à-dire comprenant toute une chaîne moléculaire, comme ceux que l'on trouve dans les pommes de terre, les céréales complètes ou les légumineuses. Qu'est-ce qui fait dès lors la différence entre les bons et les mauvais glucides ? La rapidité d'assimilation et surtout l'impact plus ou moins grand de leur ingestion sur le taux de glucose dans le sang. Les sucres simples atteignent très vite la circulation sanguine et font monter la glycémie en flèche, provoquant ainsi une libération importante d'insuline, ce qui provoque à son tour l'envoi des graisses en circulation dans les lieux de stockage. C'est pourquoi l'on grossit si vite lorsqu'on mange beaucoup de sucreries.

Glucagon contre insuline

La dégradation des glucides complexes est plus lente. Leur pénétration dans le sang a moins d'impact sur la glycémie, qui redescend progressivement. C'est ici que le glucagon entre en jeu. En deçà d'une certaine concentration, cette hormone incite le foie à faire remonter la glycémie en déstockant les graisses et en les transformant en sucre. La graisse corporelle est ainsi éliminée.

Graisses : saturées et insaturées

Les graisses sont des éléments indispensables à la vie. Sans elles, notre métabolisme ne fonctionnerait pas, nos nerfs resteraient sans réaction, nos

organes seraient privés de garniture protectrice et nous serions incapables de lutter contre le froid. Notre peau serait sèche et se fissurerait. Notre organisme ne produirait ni hormones ni sels biliaires, pourtant indispensables à une bonne digestion. Les vitamines A, D, E et K, liposolubles, ne pourraient pas être acheminées vers les différents organes. Le palais trouverait également à y redire, car il apprécie particulièrement les graisses en raison des saveurs et des parfums qu'elles renferment. Mais, comme pour les sucres, on fait ici aussi la différence entre bonnes graisses et mauvaises graisses. Les produits laitiers, la viande rouge, la charcuterie, l'huile de coco et de palme, ainsi que les pâtisseries, les biscuits, les cacahuètes et les gâteaux apéritifs contiennent des graisses saturées qui font augmenter la concentration de cholestérol dans le sang, se déposent sur la paroi des artères et ne servent pour ainsi dire à rien, sinon à se rajouter une couche de gras. Les graisses contenues dans la plupart des huiles végétales ainsi que le poisson sont, en revanche, insaturées. Bien qu'elles soient indispensables à la vie, notre organisme ne peut pas les synthétiser et doit donc les trouver dans la nourriture. Elles protègent de l'infarctus, permettent la croissance et favorisent la conductivité des nerfs. Les plus utiles sont les graisses dites mono-instaurées que l'on trouve dans l'huile d'olive et de colza, car elles régulent la cholestérolémie.

Protection contre l'artériosclérose et l'infarctus

Protéines et acides aminés

On peut dire que nos performances physiques et intellectuelles, ainsi que notre humeur sont, dans une certaine mesure, le reflet des protéines que nous ingérons. Notre corps ne peut en effet fonctionner de manière optimale que s'il bénéficie de bons apports protéiques. La durée de vie d'une cellule cutanée n'est que de deux semaines, délai à l'issue duquel elle est remplacée par une autre, grâce au processus de régénération cellulaire. Notre muqueuse gastrique, qui nous permet de digérer, se renouvelle tous les cinq jours. Tous nos organes, muscles, nerfs et cellules tissulaires sont composés de molécules protéiques : les acides aminés, au nombre de 22. Et c'est également à partir de molécules protéiques que l'organisme élabore les substances messagères qui permettent les sentiments, les pensées et les sensations. Sans les enzymes (protéines métaboliques), notre corps ne serait le siège d'aucune réaction. La nourriture ingérée ne pourrait pas être décomposée en nutriments ni, à plus forte raison, les nutriments être transformés en énergie.

Les protéines sont indispensables à toutes les fonctions organiques

Notre corps ne synthétise pas lui-même tous les 22 acides aminés dont il a besoin. Les 8 principaux doivent lui parvenir par le biais de l'alimentation.

Bien combiner

On trouve des protéines non seulement dans les aliments d'origine animale, tels que viande rouge, poisson, volaille, œufs ou lait, mais aussi dans les produits d'origine végétale, tels que riz, maïs, millet, blé ou légumineuses. Aussi, pour couvrir l'ensemble des besoins de l'organisme en protéine, est-il conseillé de les puiser dans différents types d'aliments que l'on peut combiner ; par exemple poisson et légumineuses, flocons d'avoine et lait ou blé et œufs.

Protéines d'origine animales et d'origine végétale

Vitamines, sels minéraux et oligo-éléments

Protides, glucides et lipides ne pourraient toutefois pas être métabolisés en l'absence des vitamines, sels minéraux et oligo-éléments, c'est-à-dire sans les substances vitales. Sans les vitamines nécessaires, les protéines ingérées ne pourraient pas être rompues, et les acides aminés ne pénétreraient pas dans les cellules. Les substances vitales sont des éléments indispensables du suc gastrique et des enzymes chargés de la rupture protéique. Pour de bons apports protéiques, il faut donc, par exemple, accompagner la viande rouge de salade verte et manger suffisamment de fruits et de légume au cours de la journée. Les substances vitales sont en outre indispensables au déstockage des graisses et à leur combustion à l'intérieur des cellules musculaires. Elles jouent donc également un rôle important dans l'élimination des graisses. Les vitamines, les sels minéraux et les oligo-éléments forment pour le corps une sorte d'armée du salut. Très industrieux et respectant une stricte division du travail, ils sont toujours prêts à servir la bonne cause.

Les substances vitales brûle-graisses

Vitamine	Fonction	Sources
A	Régénération de la peau et des muqueuses, acuité visuelle, défenses immunitaires	Foie de veau, carottes, chou vert, épinards, fenouil, poivron
B1	Métabolisme glucidique, motricité neuro-musculaire, régénération du système nerveux	Poulet, blé complet, noix, graines, pois chiches, haricots mungo
B2	Développement musculaire, production hormonale, métabolisme lipidique et protéique	Poulet, foie, champignons, lait, noix
B6	Gestion de la formation des protéines, communication entre les cellules nerveuses	Poisson, viande rouge, banane, céréales, chou rouge
B12	Élaboration du sang, division cellulaire, croissance cellulaire	Poulet, huîtres, crabe, maquereau, foie de veau, thon
C	Défenses immunitaires, guérison des plaies, meilleure absorption du fer	Kiwi, agrumes, poivron, brocoli, jus d'argousier
D	Croissance osseuse, métabolisme calcique, muscles et nerfs	Poissons de mer, foie, avocat, champignons
E	Protection contre le cholestérol LDL et les radicaux libres	Huile de germe de blé, scorsonère, graines, pois chiche
K	Coagulation sanguine, guérison des plaies, métabolisme osseux	Chou vert, chou rouge, épinards, fenouil, flocons d'avoine
Acide folique	Protection contre l'infarctus, division cellulaire, formation cellulaire ; très importantes durant la grossesse	Poulet, foie, levure, haricots mungo, légumes-feuilles, fenouil

Sel minéral	Fonction	Sources
Potassium	Diminution de la tension artérielle, muscles et nerfs, maintien de l'équilibre hydrique	Pomme (jus de pomme), légumes, fruits, noix, germes de blé
Calcium	Croissance osseuse et dentaire, transmission aux muscles des influx nerveux	Lait, produits laitiers, basilic, légumineuses, chou vert
Magnésium	Performance physique et intellectuelle, croissance osseuse et dentaire, fonctionnement neuromusculaire	Graines, soja, champignons, cacahuètes, millet
Sodium	Maintien de l'équilibre hydrique, absorption des sucres et des acides aminés par les cellules, stabilité circulatoire	Sel de mer, viande fumée, poisson, charcuterie, fromages type bleu
Phosphore	Production d'énergie dans les cellules, vivacité d'esprit, réponse nerveuse, contraction musculaire	Charcuterie, fromage, poisson, viande rouge, œufs

OLIGO-ÉLÉMENT	FONCTION	SOURCES
Chrome	Transformation des sucres et des graisses	Thé, fromage, cacao, blé complet, maïs
Fer	Acheminement de l'oxygène jusqu'aux cellules	Foie, viande rouge, poisson, graines, lentilles, jaune d'œuf, légumes verts
Iode	Production des hormones thyroïdiennes, combustion des graisses, vigilance, libido, allant	Poissons de mer, fromages de montagne, fromages type morbier, truffes, sel de table iodé
Cuivre	Formation des globules rouges, alimentation des cellules en oxygène	Poisson, coquillages, foie, graines de tournesol, graines de carotte
Manganèse	Activation des enzymes responsables de la production d'énergie, vigueur et puissance sexuelle	Thé, noisettes, céréales, graines de sésame
Sélénium	Protège les cellules somatiques contre l'oxydation et aide ainsi à prévenir le cancer	Noix de coco, noix du brésil, cèpes, poisson, foie, soja
Silicium	Élasticité des vaisseaux sanguins, protection contre l'athérosclérose, les accidents vasculaires cérébraux et l'infarctus	Céréales, persil, haricots verts, poireau
Zinc	Production de protéines, renforcement du système immunitaire, guérison des plaies, protection contre l'eczéma	Son de blé, graines, fromage à pâte dure, fruits de mer, foie de porc

Comment les friandises se mettent sur les hanches

Comme le dit si bien l'adage, une friandise c'est quelques secondes sur la langue, une heure ou deux dans l'estomac et des années sur les hanches. Comment cela se fait-il ? D'un point de vue physiologique, c'est assez simple : les triglycérides, grosses molécules lipidiques, sont rompus dans l'estomac en acides gras et en glycérine. Ces substances sont acheminées par la lymphe et le sang jusqu'aux cellules de stockage, les adipocytes, situées dans le tissu musculaire, le tissu adipeux et le foie. Ces cellules peuvent, si besoin est, augmenter considérablement de volume, mais lorsqu'elles ont atteint leur taille maximale, l'organisme en crée de nouvelles.

Le ventre et les fesses augmentent de volume en même temps que les cellules de stockage

Pourquoi est-ce ainsi ? Parce que notre programme génétique correspond toujours à celui de nos ancêtres, qui leur ordonnait de faire le maximum de réserves en prévision des inévitables périodes de disette. Or à notre époque, cela n'est absolument plus nécessaire, puisque l'approvisionnement en nourriture est assuré en permanence et tout au long de la vie :

▶ Nous nous mouvons trop peu et n'avons plus aucun effort physique à faire pour nous procurer de quoi manger.

▶ Nous mangeons plus que nous ne dépensons d'énergie — d'où une augmentation constante des stocks.

▶ Nous consommons des aliments que notre corps ne peut pas exploiter à bon escient. Le sucre et la farine raffinée sont, par exemple, un danger pour l'équilibre hormonal. La consommation fréquente de mauvais glucides provoque une augmentation constante du taux d'insuline, ce qui a pour conséquence une focalisation du métabolisme lipidique sur le stockage des graisses.

▶ Nous mangeons beaucoup d'aliments tout prêts n'apportant à l'organisme aucun élément à haute valeur nutritionnelle, notamment les substances vitales, qui jouent un rôle essentiel dans l'élimination des graisses.

▶ Nous mélangeons sucres et graisses, association néfaste s'il en est, avec pour conséquence une augmentation des stocks graisseux. Prenons l'exemple d'une pâte à tartiner à base de noisette : pour 100 g, on a 54 g de sucre et au moins 30 g de graisse.

▶ Nous essayons de maigrir en faisant des régimes. Cela ne marche pas, au contraire : en cas de faim, l'organisme bascule sur le programme d'alerte, met ses fonctions en veilleuse, commence à brûler du sucre, puis des protéines et ne s'attaque aux bourrelets que lorsqu'il n'y a plus aucune autre solution. Autant dire que, dans ces conditions, aucun régime n'est viable. Les kilos perdus jusque-là sont essentiellement de l'eau. Vient alors inéluctablement la revanche des gènes : enfin de la nourriture ! Tout dans les réserves, en prévision d'autres privations ! Résultat : on pèse plus à l'arrivée qu'au départ. Et l'on se remet au régime...

Grossir en faisant régime

Pesez-vous vraiment trop ?

La formule « taille en cm moins 100 » a vécu

Poids normal, surpoids et obésité sont des catégories internationalement reconnues par le corps médical. Elles sont fondées sur l'indice de masse corporelle. L'IMC correspond au poids en kilogrammes, divisé par la taille en mètre au carré.

$$IMC = \frac{poids\ (kg)}{Taille\ (m)^2}$$

Exemple : si vous pesez 64 kg pour 1,72 m votre IMC et de :
64 : (1,72 x 1,72) = 21,6

Ce que dit votre IMC

● inférieur à 19 : (légère) maigreur
● entre 19 et 25 : poids normal
● entre 25 et 30 : léger surpoids
● plus de 31 : surpoids important (obésité)

Plus l'IMC est élevé, plus le risque de faire une maladie cardio-vasculaire est grand.

Rapport taille-hanches

On ne peut pas confondre les pommes et les poires — cela vaut également en ce qui concerne les types morphologiques. La plupart des femmes sont du type poire : taille fine, hanches larges et cuisses volumineuses. Le risque cardio-vasculaire n'en est pas spécialement majoré pour autant. En revanche, les hommes ont davantage de soucis à se faire, car ils appartiennent généralement au type pomme. Ils ont tendance à prendre du gras sur le ventre, et cela est beaucoup plus mauvais pour la santé. Pour savoir vers quel type morphologique on tend, il faut calculer le rapport taille-hanches (RTH) en procédant comme suit :

Si votre IMC est compris entre 19 et 25 et que votre RTH est inférieur à 0,85, tout va bien

$$RTH = \frac{\text{tour de taille}}{\text{tour de hanche}}$$

Le RTH ne doit normalement pas dépasser 0,85 chez la femme, et 1,0 chez l'homme. Si vous êtes au-dessus, voyez si votre IMC n'a pas augmenté et essayez de maigrir un peu. Votre cœur et vos artères vous seront reconnaissants.

La masse graisseuse du corps

Il est tout à fait possible que, malgré la pratique régulière d'une activité sportive, vous ne constatiez aucun changement ni sur la balance ni en ce qui concerne votre IMC. C'est probablement que votre masse musculaire a augmenté dans le même temps que votre masse graisseuse diminuait, ce qui est très bien. De fait, les muscles pesant plus lourd que la graisse, le poids et l'IMC ne suffisent pas, à eux seuls, pour juger de l'état du corps.

Les muscles entrent en ligne de compte

Estimation de la masse graisseuse du corps en %

ÂGE	HOMMES			FEMMES		
	bien	moyen	mauvais	bien	moyen	mauvais
20-24	14,9	19,0	23,3	22,0	25,0	29,6
25-29	16,5	20,3	24,3	22,1	25,4	29,8
30-34	18,0	21,5	25,2	22,7	26,4	30,5
35-39	19,3	22,6	26,1	24,0	27,7	31,5
40-44	20,5	23,6	26,9	25,6	29,3	32,8
45-49	21,5	24,5	27,6	27,3	30,9	34,1
50-59	22,7	25,6	28,7	29,3	33,1	36,2
plus de 60	23,2	26,2	29,3	30,7	34,0	37,3

On peut mesurer exactement le rapport graisse-muscle au moyen d'un impédancemètre. Lorsqu'on se met pieds nus sur le plateau de la balance, un courant électrique très faible parcours le corps, permettant de mesurer la résistance des cellules. Le tissu musculaire, du fait de sa teneur en eau, est meilleur conducteur que le tissu adipeux. De cette manière, l'appareil peut savoir ce qui, dans la masse globale du corps, revient à la graisse. Toutefois, les résultats doivent être relativisés ! Comme c'est la teneur en eau qui est mesurée, et non pas directement la masse musculaire ou la masse graisseuse, un sauna ou une course de fond peuvent modifier la donne. Aussi aura-t-on soin de toujours se peser dans les mêmes conditions.

Le tissu musculaire contient de l'eau, le tissu adipeux non

Le métabolisme énergétique

ATP, adénosine-triphosphate ou triphosphate d'adénosine : c'est la substance qui permet l'allumage du métabolisme énergétique. Elle brûle dans les cellules comme une goutte d'essence dans un moteur, et se scinde alors en adénosine-disphosphate (ADP) et molécule de phosphate libre. L'énergie ainsi libérée est utilisée par les fibres musculaires pour se contracter et se relâcher. Elle est indispensable au fonctionnement des

De l'énergie pour contracter et relâcher

muscles et donc, par l'intermédiaire des tendons et des articulations, au mouvement. Sans elle, pas de marche, pas de course, pas de saut. D'un point de vue purement énergétique, le mouvement se résume à la décomposition de l'ATP.

Dégradation-reconstitution

Les cellules musculaires contiennent juste ce qu'il faut de phosphate pour environ dix contractions, c'est-à-dire assez pour quelques secondes. Si le corps n'avait pas la capacité extraordinaire de reformer de l'ATP à partir de l'ADP et de la molécule de phosphate libre issue de la dégradation de l'ATP venant d'être utilisé, tout s'arrêterait là. Mais pour fabriquer de l'ATP, il a besoin de l'énergie provenant du métabolisme énergétique, dont les combustibles sont les glucides et les lipides. Les glucides nagent dans le sang et sont stockés dans le foie et les muscles sous forme de glycogène. Avant la combustion, ils se scindent en sucre simple (glucose) sous l'action d'enzymes, puis acheminés jusqu'aux cellules musculaires dans lesquelles ils pénètrent. La combustion s'effectue à l'intérieur des mitochondries (granules flottant dans le plasma cellulaire).

Des glucides et des lipides pour le métabolisme énergétique

Les lipides subissent le même sort. Ils nagent également dans le sang et sont stockés partout dans l'organisme. En cas de besoin, ils sont décomposés par l'organisme en acides gras, qui seront acheminés vers les cellules musculaires et brûlés dans les mitochondries. Là où les cellules de stockage sont visibles, on parle de zones à problème.

Ce que provoquent les deux carburants

Lorsqu'on fait un effort intense, qu'il faut aller très vite ou qu'il est nécessaire de déployer beaucoup de force, le corps ouvre la soupape du réservoir de glycogène. Mais ce réservoir n'a qu'une capacité limitée. Un coureur de fond, s'il n'avait que ses réserves de glycogène, devrait abandonner au bout d'environ 90 mn.

Les graisses : source d'énergie pour les grandes distances

Les stocks de graisses constituent une formidable réserve d'énergie qui pourrait suffire à la plupart des marathoniens. Les graisses sont un combustible longue durée pour les efforts d'intensité faible à moyenne — et la principale source d'énergie pour les coureurs. Si l'on fait le raisonnement inverse, on en déduit forcément que courir est idéal pour brûler les graisses, donc pour les éliminer.

Courez, maigrissez !

Il n'y a qu'un endroit dans tout le corps où les graisses puissent être efficacement brûlées : les muscles. Plus on bouge, plus on brûle de graisses. En courant désormais régulièrement, vous verrez obligatoirement fondre progressivement vous bourrelets !

Faites tourner la machine à plein régime

Notre corps à l'étonnante faculté de s'adapter aux stimulations : il est donc entraînable. Le fait de courir incite le corps à produire plus d'enzymes lipolytiques (impliqués dans la dégradation et l'élimination des graisses). La masse musculaire augmente, et plus elle se développe, plus elle brûle de graisse.

Des enzymes qui anéantissent les graisses

Une pratique régulière du jogging peut entraîner une démultiplication du nombre des mitochondries — petites « centrales thermiques » des cellules. Le débit énergétique augmente considérablement.

Le métabolisme énergétique s'améliore. Les cellules adipeuses cèdent à l'aspiration s'exerçant de l'extérieur et s'ouvrent aux enzymes. Ceux-ci peuvent ainsi s'attaquer librement aux réserves de graisses.

Et, qui plus est, non seulement vous brûlez des graisses pendant la durée de l'effort, mais votre métabolisme est stimulé pour la journée. Même une fois installé dans votre canapé, vous continuez à vous dépenser.

Tenir bon jusqu'à ce que la combustion tourne à plein régime

En fait, tout est une question de temps et de régularité, donc de patience ! Si vous n'avez plus fait de sport depuis longtemps, il faut laisser à votre corps le temps de se réhabituer à l'effort. La machine demande à être relancée avant de pouvoir tourner à plein régime. Mais quelques mois d'entraînement régulier suffisent à la roder.

Maigrir à la bonne cadence

Lorsque non courons, tout notre corps se réveille. Nos muscles « triment » pour que nous puissions avancer. Or le travail musculaire réclame énergie et oxygène. Ces deux éléments sont acheminés par la voie sanguine jusqu'aux cellules. Pour augmenter l'apport d'énergie et d'oxygène — et accélérer l'élimination des déchets métaboliques — le cœur bat plus vite, et la fréquence respiratoire augmente. Toute cette activité produit beaucoup de chaleur. Lorsque la température du corps atteint un certain seuil, l'organisme met en marche son système de refroidissement : nous transpirons. C'est là le signe que notre métabolisme travaille d'arrache-pied.

En vous y prenant bien, c'est-à-dire en courant à la bonne vitesse, vous brûlerez ainsi surtout des graisses.

Des graisses trouvées dans les stocks, là justement où vous voulez en perdre. Pour que le travail porte à chaque fois ses fruits, il vous faudra chercher à savoir comment votre corps réagit à l'effort. Par rapport au but recherché, l'effort peut être insuffisant, optimal ou excessif.

Courir fait transpirer... et stimule le métabolisme

Intensité et durée de l'effort

En compétition, l'haltérophile pratiquant l'épaulé-jeté soulève son poids maximal en l'espace de quelques secondes. Un sprinter de haut niveau met environ 10 secondes pour parcourir 100 m et court donc à une vitesse moyenne de 10 m/sec. Un excellent coureur de 400 m met environ 45 secondes pour atteindre la ligne d'arrivée, soit une moyenne de 8,9 m/s. Les très bons coureurs de demi-fond courent 10 km en 27 mn, soit 6,2 m/s, et un marathonien de premier ordre s'acquitte des 42,195 km en 2 heures et 10 mn, soit une moyenne de 5,4 m/s.

On voit bien à la lumière de ces exemples quels sont les deux facteurs déterminants en course à pied : la *durée* de l'effort en secondes, minutes ou heures et son *intensité* en distance parcourue par unité de temps (ici calculée en mètres par seconde).

Intensité et durée

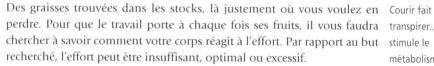

Ces chiffres confirment ce dont on se doutait déjà un peu : une forte intensité n'est possible que sur une courte durée. Plus l'effort se prolonge, plus l'intensité baisse. Autrement dit : la vitesse d'un 100 m est difficilement tenable sur plus de 100 m. Savoir cela est très important pour qui veut courir plusieurs kilomètres.

De l'énergie pour le mouvement

L'intensité et la durée de l'effort déterminent le mode de production de l'énergie nécessaire. Souvenez-vous : le métabolisme énergétique se nourrit d'une part des phosphates contenus dans les muscles et, d'autre part de la combustion des glucides et des lipides. Mais, outre cela, l'organisme peut produire de l'énergie en utilisant de l'oxygène (*aérobie*) ou sans en utiliser (*anaérobie*).

Phosphates : de l'énergie tout prête dans les muscles

Avec ou sans oxygène

Le métabolisme lipidique ne peut fonctionner qu'en présence d'oxygène (production énergétique aérobie), c'est-à-dire lorsque l'effort est faible à moyennement intense. À mesure que l'intensité augmente, le métabolisme lipidique perd en importance et finit par ne plus être source d'aucune énergie. Le métabolisme glucidique prend le relais et on ne brûle plus que des sucres, car le glucose présente la particularité de pouvoir brûler avec et sans oxygène (production énergétique aérobie et anaérobie). Or il y a deux inconvénients majeurs à fonctionner en régime anaérobie :

Du glucose pour recharger rapidement les batteries

● la quantité d'énergie disponible est considérablement moindre et
● les muscles produisent de l'acide lactique (lactate), ce qui les contraint à arrêter rapidement ou du moins à réduire sensiblement la cadence pour éviter l'acidose.

Jusqu'à dix secondes

Pour les efforts brefs et très intenses (jusqu'à dix secondes), les muscles se servent de l'énergie phosphatique présente dans leurs cellules. Pour cela, pas besoin d'oxygène (anaérobie) et pas de production d'acide lactique (alactacide). Soulever une caisse remplie de bouteilles d'eau ou faire un smash en volley après avoir pris son élan et sauté, voilà le type même d'effort ponctuel que les experts sportifs rangent dans la catégorie « anaérobie alactacide ».

Anaérobie = sans oxygène, alactacide = sans production de lactate

Un tour de piste

Lorsque l'effort dure plus de 10 secondes, le corps commence à brûler des glucides et des lipides. Dans quelles proportions ? Tout dépend de l'intensité. En cas d'intensité maximale, la combustion se fait en anaérobie, et seul le glucose est brûlé. L'effort peut se maintenir ainsi pendant environ 45 secondes, puis l'intensité diminue par la force des choses. La concentration d'acide lactique est alors tellement élevée que les muscles ne peuvent plus travailler de manière optimale. Les spécialistes parlent dans ce cas de production énergétique anaérobie lactacide. Les coureurs du 400 m sont contents d'avoir atteint la ligne d'arrivée, mais ils mettent ensuite du temps à retrouver leur souffle, car ils ont

une dette importante d'oxygène. Il leur en faut tout d'un coup beaucoup, afin d'éliminer l'acide lactique produit par les muscles durant l'effort.

Un kilomètre et plus

Plus la distance à parcourir est grande (durée), plus la vitesse (intensité) doit être réduite afin que la production énergétique se fasse en conditions aérobies. Cela est important pour tout effort excédant deux minutes.

Si, en courant, votre but est de brûler des graisses, il faut y aller doucement, c'est-à-dire ne surtout pas s'essouffler. En procédant ainsi, vous brûlerez des lipides pour 80 % et des glucides pour 20 %, grâce à l'oxygène. Il y aura quand même combustion anaérobie des glucides, mais dans une mesure infime. Si vous augmentez l'intensité, la combustion des lipides diminuera au profit de la combustion, aérobie et anaérobie, des glucides. En accélérant encore la cadence, par exemple dans le but de faire une pointe de vitesse, vous vous priverez de l'oxygène nécessaire au maintien en fonction du métabolisme lipidique. Celui-ci s'interrompra et le métabolisme glucidique prendra le relais, avec une prédominance de la variante anaérobie. Vos muscles produiront beaucoup d'acide lactique — trop ! Vous manquerez rapidement d'oxygène, vos jambes vous paraîtront lourdes comme du plomb et vous devrez vous arrêter ou réduire sensiblement la cadence.

Pour brûler des graisses, une seule solution : ne pas s'essouffler

Visite médicale obligatoire

Si vous avez plus de 30 ans et que vous n'avez pas fait de sport depuis longtemps, un petit check-up est indispensable avant de vous lancer. Vous devrez notamment subir un électrocardiogramme (ECG) pour vérifier que tout va bien « côté cœur ». Si vous consultez un médecin du sport, il pourra en outre mesurer votre lactate sanguin. Le test consiste à prélever

ECG et mesure du lactate

Le taux de lactate augmente

La concentration de lactate dans le sang se mesure en millimols par litre de sang (mmol/l). Plus l'effort est intense, plus le taux augmente.

- Le taux de lactate au repos est normalement d'environ 1 mmol/l.
- Pour la course d'endurance, la vitesse idéale est celle qui provoque la production de 2 à 3 mmol/l.
- Les taux de lactate tournant autour de 4 mmol/l sont caractéristiques de la zone de transition entre aérobie et anaérobie et correspondent donc au seuil anaérobie. La combustion des graisses n'est déjà plus optimale.
- Au-dessus de 4 mmol/l, la plupart des individus atteignent un seuil critique, à partir duquel les muscles, produisant plus de lactate qu'ils n'en éliminent, se fatiguent rapidement. Certaines personnes le tolèrent assez bien, d'autres, beaucoup moins.

plusieurs gouttes de sang sous effort progressif (sur un tapis de course ou un vélo fixe) avec prise de pouls. De cette manière, le médecin peut voir à partir de quelle fréquence cardiaque vous atteignez la valeur de 4 mmol/l, c'est-à-dire le seuil anaérobie.

La mesure du lactate permet de connaître le seuil anaérobie

Battements de cœur et pouls

Au centre de la cavité thoracique se trouve un muscle qui travaille inlassablement et sur lequel il est impossible d'influer directement. Pour dire les choses très schématiquement, le cœur aspire d'un côté le sang des veines et le propulse de l'autre dans les artères, permettant ainsi la circulation sanguine.

Pour le coureur, le nombre de battements de cœur par minute, que l'on désigne par les termes de fréquence cardiaque ou de pouls, est le principal indice d'intensité concernant l'effort en cours et ses effets sur l'organisme. La fréquence cardiaque est d'ailleurs la seule grandeur que l'on puisse mesurer n'importe où et assez facilement afin de connaître le niveau de condition physique. Celui-ci est d'autant meilleur que la fréquence cardiaque au repos (FCR) est basse, que la fréquence cardiaque maximale (FCM) est élevée, et que le nombre des battements de cœur redescend plus vite une fois l'effort terminé.

Comment prendre son pouls

Le pouls est très facile à prendre sur le cou

C'est sur le cou et sur le poignet que le pouls, onde de pression se propageant dans les artères, se perçoit le plus facilement au toucher. Placez pour cela l'index et le majeur, soutenu par le pouce et l'annulaire, soit sur le larynx, soit sur le poignet, juste en dessous de la base du pouce. Dans le second cas, exercez une légère pression. Il vous faut aussi une montre qui indique les secondes afin de compter le nombre de battements sur 15 secondes. Multipliez ensuite par quatre.

Fréquence cardiaque au repos

Pour le coureur, il y a trois types de pouls à prendre en considération : la fréquence cardiaque au repos (FCR), la fréquence cardiaque maximale (FCM) et la fréquence cardiaque à l'effort (FCE).

D'abord prendre son pouls, puis se lever

La FCR se mesure de préférence le matin au réveil, avant même de se lever. Chez la plupart des individus, le nombre des pulsations par minute est alors compris entre 60 et 80, ce qui donne environ 4 200 battements de cœur par heure, plus de 100 000 par jour et plus de 36 millions par an. Les sportifs d'endurance ont une FCR beaucoup plus lente, car leur cœur s'est habitué à l'effort physique soutenu. Son volume est supérieur et bat avec davantage de pression. Cela représente, par minute, par heure, par jour et par année, une économie considérable de pulsations. Vu ainsi, un pouls lent signifie une usure corporelle moindre, donc une espérance de vie supérieure.

Plus on est entraîné, plus la FCR est basse et la FCM élevée

Fréquence cardiaque maximale

À mesure que l'intensité de l'effort augmente, le cœur bat plus vite. Or nous avons tous une FCM au-delà de laquelle le cœur ne peut plus battre.

Conseil

Pour faire les choses comme il faut, procurez-vous un cardio-fréquencemètre (voir p. 41). Cet appareil, facile d'utilisation, donne toujours la fréquence cardiaque exacte.

La FCM correspond à la fréquence cardiaque telle qu'on peut la mesurer lorsqu'on court le plus vite possible et qu'on finit par un sprint. Les personnes jeunes ont normalement une FCM supérieure à celle des personnes plus âgées. De même, le cœur d'un sportif bien entraîné peut battre plus vite que celui d'une personne qui ne fait pas d'exercice. Pour connaître votre FCM théorique, la règle est simple : 220 moins âge. Mais il s'agit là d'une donnée très approximative et il est toujours préférable de connaître sa FCM exacte, surtout lorsqu'on court, car c'est d'elle que dépend le dosage de l'effort.

La FCM est la valeur dont dépend tout le reste

Calculer sa FCM

Si vous n'avez encore jamais fait de jogging, attendez un peu avant de chercher à connaître votre FCM réelle. Lorsque vous serez un peu plus en forme et capable de courir 30 mn sans interruption, vous pourrez faire le test suivant :

▶ Après vous être bien échauffé, courez 800 m le plus vite possible, de préférence sur piste. Courez ensuite en petites foulées pendant une minute, puis refaites 800 m à votre vitesse maximale en faisant un sprint sur les derniers 100 m. Mesurez alors votre pouls, si possible au moyen d'un cardiofréquencemètre. Vous connaîtrez ainsi votre FCM réelle.

Test pour personnes entraînées

Fréquence cardiaque à l'effort

Comme son nom l'indique, la FCE correspond à la fréquence cardiaque telle qu'elle peut être mesurée au cours d'un effort d'intensité moyenne. Se pose alors une question cruciale : ma FCE est-elle la bonne eu égard à mon objectif principal, à savoir : maigrir. On considère généralement que le pouls optimal à l'effort correspond à 180 moins âge. Mais optimal pourquoi ? En définissant une règle générale, ne met-on pas dans le même sac des individus présentant des caractéristiques très différentes ? Une FCE de 130 à 50 ans peut convenir à une personne, être insuffisante pour une autre, et représenter un surmenage pour une troisième. Tout dépend du niveau de condition physique et des dispositions de chacun. Par FCE, on entend aussi souvent la fréquence optimale pour la course d'endurance, garantissant théoriquement un rapport idéal entre travail de l'endurance et combustion des graisses. Mais ici aussi la formule 180 moins âge n'a qu'une valeur indicative. Des études ont en effet montré que la bonne FCE n'y correspond pas toujours.

Règle approximative

Quelle est la bonne fréquence cardiaque à l'effort ?

Cela dépend de votre niveau de condition physique et de vos objectifs. Si vous courez pour maigrir, il y a plusieurs possibilités.

Combustion des graisses dans la zone du cœur sain

Vous avez environ 25 ans ? Alors votre zone du cœur sain est comprise entre 100 et 140 pulsations/mn (voir graphique ci-dessous). Si vous avez plutôt dans les quarante ans, cette même zone s'étend de 90 à 130 puls./mn, tandis qu'à soixante, il faut compter avec 85 à 120 pulsations. Cette zone se caractérise par un excédent d'oxygène. L'énergie produite par le métabolisme provient à environ 80 % des graisses et à 20 % des sucres. Courir dans sa zone du cœur sain est excellent pour le système immunitaire, mais c'est aussi un très bon moyen de perdre du poids.

L'excédent d'oxygène permet de parler tout en courant

Combustion de graisses dans la zone aérobie

Chez une personne de 25 ans, la zone aérobie se trouve entre 140 et 160 puls./mn ; chez une personne de 40 ans, entre 130 et 150 ; et chez une personne de 60 ans, entre 118 et 138. Principaux effets : vous travaillez

Règle d'or pour perdre du poids : rester en dessous de la zone anaérobie

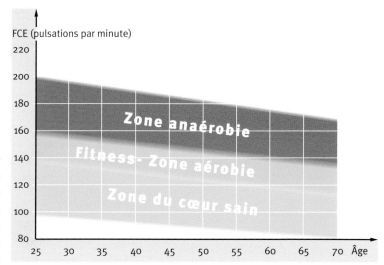

Brûler les graisses dans les zones de santé et de fitness

votre endurance, vous améliorez votre condition physique et vous brûlez des graisses.

Les experts ne sont pas d'accord entre eux au sujet de la meilleure FCE pour une combustion optimale des graisses. Beaucoup supposent, certainement à juste raison, que la zone de fitness est celle qui offre le meilleur rapport entre investissement et bénéfices.

En tout état de cause, les personnes qui courent pour améliorer leur condition physique ou brûler des graisses devraient s'interdire tout franchissement de la zone anaérobie lors d'efforts prolongés. Faire plus d'une courte pointe de vitesse, c'est se mettre à coup sûr en dette d'oxygène. La part des graisses dans la production énergétique est alors proche de zéro.

La fréquence cardiaque limite

Le docteur Ulrich Strunz, spécialiste en médecine interne et orthomoléculaire, appelle la FCE optimale « fréquence cardiaque limite » (FCL) car elle se situe selon lui au point de transition entre la zone où la production énergétique aérobie domine encore et celle où la production anaérobie commence à prendre le dessus, c'est-à-dire au moment où la lactatémie atteint 4 mmol/l. En approchant de cette limite (la mesure du lactate par un médecin du sport vous dira à quelle fréquence cardiaque vous l'atteignez), nous entrons dans une zone dans laquelle il est possible, à condition d'avoir un peu d'expérience, de rester plusieurs heures sans se fatiguer, tout en brûlant ainsi des graisses de manière optimale.

À partir de 4 mmol/l, il faut arrêter

Calculer sa FCL

Si vous ne voulez pas faire mesurer votre lactate par un médecin, rien ne vous empêche, pour connaître votre FCL, d'utiliser la formule de l'expert sportif allemand, Dieter Lagerstrøm :

FCL = FCR + [(220 – $^3/_4$ de l'âge – FCR) x niveau d'entraînement].

Commencez par calculer ce qu'il y a entre les parenthèses, puis multipliez par le niveau d'entraînement et additionnez le résultat obtenu avec la FCR. Pour le niveau d'entraînement, vous avez le choix entre les possibilités suivantes :

● 0,60 à 0,65 pour les coureurs débutants et manquant d'entraînement
● 0,65 à 0,70 pour les personnes ayant un niveau moyen
● 0,70 à 0,75 pour les coureurs chevronnés et les sportifs de haut niveau
Exemple : une coureuse débutante de 44 ans ayant une FCR de 68 puls./mn aura une FCL de : 68 + [(220-33-68) x 0,65] = 145,35 (arrondi à 145).

Combustion des graisses et destruction des corps gras

Combustion des graisses et destruction des corps gras de l'organisme (lipolyse ou adipolyse) désignent-ils la même chose ? La question peut paraître oiseuse, mais n'en est pas moins au cœur des débats actuels autour de la combustion de graisses. Une chose est sûre : qui court, brûle des graisses. Reste à savoir combien. Nous avons vu que plus on court lentement, plus on brûle de graisses proportionnellement aux sucres (80 % contre 20 % si l'on reste dans la zone du cœur sain), mais la dépense d'énergie reste relativement faible. En courant plus vite, on brûle proportionnellement un peu moins de graisses, mais la dépense globale d'énergie est supérieure. Lorsqu'on court à sa FCL (voir p. 31), combustion des graisses et combustion des sucres s'équilibrent à peu près (50/50) et la dépense d'énergie est deux fois supérieure par rapport au travail en zone du cœur sain. Tout compte fait, il semble bien que ce soit en augmentant la cadence jusqu'à sa FCL qu'on brûle le plus de graisses. Au-delà commence la zone de travail en anaérobie, où la combustion des graisses s'interrompt.

Tout dépend de la dépense globale d'énergie

La combustion ultérieure

La graisse ne fond pas seulement pendant l'effort, mais aussi après, car la récupération réclame elle aussi de l'énergie, et en l'occurrence de l'énergie

La lipolyse se poursuit après l'effort

produite par le métabolisme lipidique. Celui-ci devenant de plus en plus actif à mesure que la condition physique s'améliore, le déstockage des graisses au repos s'accroît d'autant. Après avoir brûlé activement des graisses, vous continuez à en éliminer et vous mincissez — à condition toutefois que vous ayez une alimentation équilibrée et que vous mangiez globalement un peu moins que ce que vous dépensez.

L'alternance augmente l'effet

La perte de poids dépend donc aussi de l'activité du métabolisme après l'effort. Or il est possible de la stimuler en pratiquant l'entraînement par intervalles. On entend par-là le fait de courir en changeant régulièrement de cadence, l'échelle pouvant aller de la marche rapide au sprint.

Comment initier le processus

Si vous souhaitez perdre du poids, mais que vous n'avez aucune expérience de la course à pied, il ne faut pas vous jeter à corps perdu dans l'entraînement. Le principal est que vous vous mettiez en mouvement, ce qui ne veut pas dire forcément courir.

Commencer lentement

Au début, il faut s'en tenir au principe « peu, mais souvent ». Commencez par une promenade quotidienne en augmentant progressivement la durée de vos sorties. Augmentez ensuite l'intensité de l'effort en accélérant le pas. Vous passerez ainsi de la simple promenade à la marche rapide. En améliorant votre condition physique, vous aurez automatiquement envie de plus, mais pour cela donnez-vous tout le temps nécessaire. Vous voilà maintenant prêt pour la course. Alors suivez le même schéma : d'abord régulièrement, puis plus longtemps et enfin plus vite. Vous trouverez aux pages 67-69 des programmes spécialement destinés aux débutants.

Trois méthodes, trois effets

Comme souvent, beaucoup de chemins mènent à Rome. Si vous voulez brûler des graisses, vous avez le choix entre trois méthodes d'entraînement, qu'il est conseillé d'alterner, car le métabolisme réagit aux changements par une activité accrue. Mais impossible de commencer vraiment sans avoir acquis préalablement une bonne endurance de base (30 minutes sans interruption) et un peu d'expérience. Les trois méthodes sont les suivantes :

Assez d'endurance et d'expérience ? Alors allons-y !

▶ Faire des courses d'endurance d'au moins 30 minutes (2 heures en petites foulées) à 60-70 % de sa FCM.

▶ Faire des courses plus rapides dans la zone de sa FCL, c'est-à-dire à 85-90 % de sa FCM, pendant 30 minutes.

▶ Faire des courses par intervalles. Par exemple, après l'échauffement, courir 3 mn à 85-95 % de sa FCM, puis marcher ou faire de petites foulées jusqu'à récupération complète, puis accélérer à nouveau. Une sortie doit comprendre au moins 5 intervalles de ce type.

Courir par intervalles

Plutôt que de brûler les étapes, commencez prudemment par la marche rapide

Attention à la combustion instantanée

Certains magazines débordent d'imagination lorsqu'il s'agit de donner des conseils pour brûler les graisses, et les groupes cibles se précipitent les yeux fermés. Mais prudence : les méthodes proposées incitent souvent à passer du jour au lendemain de l'état d'inactivité totale à l'entraînement de haut niveau, promettant une combustion rapide et facile des graisses.

Or à l'usage on s'aperçoit que ces méthodes sont très éprouvantes et ne procurent aucun plaisir. Il se peut qu'elles favorisent la combustion des graisses, mais elles s'adressent en fait à des sportifs déjà bien entraînés — et qui n'ont donc pas besoin de maigrir.

Ne faites pas une croix sur le plaisir

Les débutants n'ont aucun intérêt à se laisser prendre au piège. Courir intelligemment est nettement préférable, d'autant que le jogging a beaucoup plus à offrir que simplement perdre du poids et brûler des graisses.

Ce qui fait toute la valeur du jogging

Autrefois, les opérés restaient immobilisés jusqu'à ce qu'ils puissent enfin se redresser et se lever. Aujourd'hui les médecins veillent à ce qu'ils puissent se remettre au sport le plus tôt possible. Et cela porte ses fruits : la rééducation est beaucoup plus rapide lorsque le malade peut courir. Mais ce n'est pas là le seul bienfait du jogging sur la santé :

Du lit d'hôpital à la piste de course

▶ Courir a des effets bénéfiques sur le glaucome, le prurigo et la mucoviscidose et on lui attribue même un rôle préventif contre le cancer.

▶ Les personnes souffrant de douleurs chroniques y trouvent un soulagement.

▶ Courir aide à s'endormir. Au bout d'environ deux mois d'entraînement régulier, plus besoin de compter les moutons, vous dormez comme un bébé.

▶ La course à pied est désormais employée avec succès dans le traitement de la dépression et des crises de panique.

Courir apporte vitalité et santé

La course à pied influe très positivement sur nombre de systèmes organiques.

Elle a par exemple un effet bénéfique sur le système cardio-vasculaire. La pression artérielle diminue et la lipémie se normalise. Le débit cardiaque augmente considérablement, parfois même jusqu'à deux fois. La tension artérielle diminue. De ce fait, le volume systolique augmente et la FCR diminue. Le cœur d'une personne manquant d'entraînement bat environ 70 fois par minute contre 40 à 60 fois chez un coureur d'endurance, et cela pour une même quantité de sang pompée. Le travail de l'endurance permet donc un fonctionnement nettement plus économique du cœur et des vaisseaux, ce qui évite l'usure inutile et allonge l'espérance de vie.

Le système respiratoire a également tout à gagner à la pratique régulière d'un sport d'endurance. Courir renforce les muscles respiratoires. La respiration se fait plus profonde et plus efficace, ce qui permet des prises d'oxygène plus importantes et une meilleure irrigation des poumons. De là, les globules

Charge moindre pour le cœur et les vaisseaux

rouges transportent l'oxygène dans tout le corps, d'où une meilleure oxygénation des tissus. La matière grise n'est pas laissée pour compte. La capacité de concentration augmente, le cerveau est plus performant.

Enfin, courir stimule le système immunitaire. L'organisme se défend mieux contre les agents pathogènes et les cellules cancéreuses. Mais pour obtenir cet effet, il faut courir lentement, en veillant à ne jamais s'essouffler, et pas trop longtemps.

Bonne humeur, joie de vivre

Courir ne fait pas du bien uniquement au corps, mais aussi à l'esprit et à l'âme.

Préserver l'équilibre hormonal

Si vous êtes stressé — courez ! L'exercice physique est le seul moyen d'évacuer les hormones de stress telles que l'adrénaline. Après un jogging, vous serez à nouveau au clair avec vous-même.

Courir provoque aussi une baisse de la glycémie, ce qui a pour effet de soulager le pancréas, puisqu'il a ainsi moins d'insuline à fournir. La course à pied joue donc aussi un rôle préventif contre le diabète de type II.

Courir apporte vitalité, créativité et joie de vivre

En courant, on libère en outre un autre type de substances messagères, celles à qui l'on attribue le pouvoir de stimuler, voir d'euphoriser. De fait, courir à une allure modérée fait augmenter le taux de testostérone. Cette hormone sexuelle masculine que les femmes ont également dans le sang est source de vitalité, de désir sexuel et d'affirmation de soi.

Hausse de la libido

Effets sur l'humeur et l'état d'esprit

La sérotonine est le neurotransmetteur responsable de la bonne humeur. Courir à 60-70 % de sa

FCM, c'est-à-dire lentement, provoque une libération accrue de cette hormone messagère. En courant à 70-80 % de sa FCM, on libère davantage d'ACH, une hormone qui facilite la résolution des problèmes, stimule la créativité et donne les idées claires. À 80-93 % de sa FCM, le corps libère des endorphines, substances messagères ayant un effet relaxant, analgésique et même euphorisant.

37 Bonne humeur et joie de vivre

De la première
à la troisième
vitesse

Selon le tempo, l'effet de la course n'est pas tout à fait le même sur l'humeur et l'état d'esprit. Le docteur Ulrich Strunz compare cela au passage des vitesses dans une automobile. Il est à cet égard intéressant, à titre expérimental, d'augmenter la cadence toutes les 15 mn pour constater les changements qui se produisent au niveau du cerveau.

L'euphorie du coureur

L'effet le plus connu de la course à pied est ce que les Anglo-saxons appellent le « runner's high », sentiment d'euphorie qui ne vient pas toujours, même lorsqu'on le recherche. Selon le professeur Oliver Stoll, de l'Université de Halle, en Allemagne, « Le meilleur moyen d'atteindre l'état d'euphorie est de réaliser l'adéquation exacte entre intensité de l'effort et capacités physiques ». Pour éprouver le runner's high, il faut en tout cas courir au moins une heure. L'augmentation du taux d'endorphine se produit lorsqu'on se trouve proche du seuil anaérobie de 4 mmol de lactate par litre de sang. Or pour tenir à ce régime pendant plus d'une heure, il faut déjà être très entraîné. Mais l'euphorie du coureur n'est pas seulement un phénomène physiologique. Il y rentre aussi une bonne part de mental. Les sportifs évacuent le stress de la vie quotidienne et ont de ce fait un sens plus aigu de leur propre valeur.

60 minutes
minimum

Un grand bol d'air frais

Essayez, à chaque fois que cela est possible, de courir à l'air libre. La nature met du baume au cœur. Tout y parle aux sens et nous y sommes automatiquement plus réceptifs à ce qui nous entoure. À effort égal, nous

Mieux vaut
l'air de la forêt
que celui
d'une salle
bondée

nous détendons beaucoup plus à la montagne, face à un paysage de forêts et de prairie, ou bien le long d'une rivière que dans une salle bondée. La différence est d'ailleurs mesurable : après un jogging en pleine nature, le sang présente un moindre taux de cortisol, hormone de stress, et un taux supérieur de noradrénaline, hormone anti-dépressive,

Chaussez vos baskets !

Enfilez vos chaussures de course et prenez la route qui mène vers une santé stable et un corps athlétique ! Vous apprendrez ici comment vous échauffer efficacement avant de courir, quelle technique de course est la meilleure pour vous, et quel est le matériel dont vous avez besoin. Vous découvrirez à quelle vitesse et combien de temps il faut courir pour brûler les graisses le plus efficacement et comment on revient ensuite au calme par des étirements appropriés.

Bien courir, maigrir sainement

Vous venez d'achever le premier chapitre de ce livre et vous avez déjà les jambes qui commencent à vous démanger ? Patientez toutefois encore un peu avant de vous lancer, car il vous faut tout d'abord savoir ce qu'il en est de votre condition physique.

Qu'en est-il de votre endurance ?

Il existe une méthode simple mais efficace pour tester sa propre endurance : courir le plus longtemps possible à un rythme lent et régulier jusqu'à n'en plus pouvoir. Selon le temps que vous tiendrez, vous pourrez vous ranger dans l'une de catégories suivantes :

Combien de temps tenez-vous ?

● pas plus de 3 mn : sous-entraîné
● entre 3 et 12 mn : débutant
● entre 12 et 30 mn : moyen
● entre 30 et 45 mn : confirmé
● plus de 45 mn : avancé

Mesurer sa fréquence cardiaque

La mesure de la fréquence cardiaque est également un bon indice de la condition physique. Pour la FCR, la méthode traditionnelle (voir p. 27) est très fiable car elle varie très peu le temps que dure la prise. Il en va en revanche autrement de la FCE. Si l'on s'arrêtait de courir pendant 15 secondes pour compter les pulsations, le pouls ralentirait, chez certaines personnes un peu, chez d'autres davantage. Dans tous les cas, le résultat serait biaisé. On augmenterait alors l'intensité, au risque de sortir de la zone de combustion optimale des graisses.

Préférez la ceinture

Aussi est-il nettement préférable de recourir à un cardiofréquence-mètre avec ceinture thoracique. Les électrodes, que vous aurez pris soin d'humidifier un peu avant la mise en place, mesurent les impulsions émises par le cœur lorsqu'il se contracte et transmettent sans l'aide d'aucun fil le signal amplifié à la montre que vous portez au poignet. La fréquence cardiaque s'affiche. En fonction du résultat, vous pouvez accélérer ou ralentir le pas. Si votre pouls est trop rapide pour le but recherché, à

Impossible de se tromper

savoir la perte de poids, « levez » un peu le pied. S'il est au contraire trop lent, montez d'un cran. Pour savoir comment déterminer la fréquence idéale pour une course, reportez-vous à la page 48.

Plus jamais sans « cardio »

Les cardiofréquencemètres offrent aujourd'hui quantité de fonctions. Vous pouvez y programmer des zones cibles, par exemple entre 120 et 140 puls./mn, de manière à ce que la montre émette un signal lorsque vous passez en deçà ou en delà. Certains peuvent même dire au jour le jour quel est pour vous le meilleur pouls d'entraînement. Ces modèles très sophistiqués peuvent aussi stocker vos résultats, les comparer avec ceux des jours précédents, et établir des courbes, vous permettant ainsi de mieux suivre l'évolution de vos performances.

Le « cardio » vous permet de toujours courir à la bonne cadence

Sans aller jusque-là, l'achat d'un cadiofréquencemètre est vivement conseillé. Vous trouverez des modèles intéressants à partir de 75 euros. C'est un investissement, mais vous verrez, vous ne pourrez bientôt plus vous en passer.

La bonne mesure

Quelle est la façon la plus rapide et la plus simple de perdre ses kilos en trop ? Autant le dire tout de suite : un peu de patience et de persévérance sont toujours nécessaires. De la patience pour ne pas forcer au départ et obtenir l'inverse de ce qu'on recherche. De la persévérance pour permettre au corps de s'adapter. En courant tout d'abord lentement, mais régulièrement, vous progresserez de manière continue et finirez ainsi tôt ou tard par maîtriser votre poids.

Au mois 1000 kilocalories

D'après les médecins, nous devons, pour rester en bonne santé, brûler des calories par la pratique d'une activité sportive. Une dépense hebdomadaire de 1000 kilocalories serait nécessaire, l'idéal étant de brûler en moyenne 2 000 kilocalories. Mais cela dépend en fait du poids de chacun. L'expert sportif Dieter Lagerstrøm recommande de brûler chaque jour au moins 4 kilocalories par kilo de poids, idéalement 7.

2 000 c'est encore mieux que 1000

Votre dépense énergétique

Nombre de kilocalories dépensées durant une course d'endurance à cadence lente (environ 1 km toutes les 7 mn) en fonction du poids :

Poids	10 Min.	30 Min.	60 Min.
50 kg	68	203	405
55 kg	74	223	446
60 kg	81	243	486
65 kg	88	264	527
70 kg	95	284	567
75 kg	101	304	608
80 kg	108	324	648
85 kg	115	345	689
90 kg	121	365	729
95 kg	128	385	770

L'excès n'est pas bon

Éviter le surmenage

En cas de surmenage, les effets positifs du sport s'inversent. L'organisme libère du cortisol, hormone de stress qui affaiblit le système immunitaire. C'est la raison pour laquelle les sportifs de haut niveau sont si sujets aux infections.

« No pain, no gain — pas de réussite sans douleur » - cela vaut certainement si l'on veut décrocher un titre ou battre un record, mais pour celles et ceux qui font du sport pour retrouver la forme et perdre du poids la règle est de courir lentement et en veillant à ne jamais s'essouffler (en conservant un excédant d'oxygène).

Mobilisez-vous !

Au réveil, nous nous étirons de tout notre long, nous nous levons et sommes prêts pour attaquer une nouvelle journée. Les étirements sont également bons pour la course à pied, mais *après*. Ils font baisser la tension musculaire et accroissent la mobilité. *Avant* la course, il faut réveiller les articulations et activer les muscles. Il suffit pour cela d'une série d'exercices de mobilisation sollicitant presque toutes les parties du corps. Rien n'interdit à ce stade de faire des petits mouvements saccadés — lents et millimétriques.

Avant : activer, après : étirer

1. Colonne vertébrale et jambes

● Debout, les jambes écartées de la largeur du bassin, enroulez lentement la colonne vertébrale vers l'avant en partant du cou. Fléchissez les jambes à 90 ° et posez les mains au sol. La poitrine est presque entre les cuisses. Revenez à la position initiale en commençant par tendre les jambes et en déroulant la colonne vertèbre après vertèbre. Les fesses et le ventre se contractent de plus en plus à mesure que vous montez. Écartez ensuite les bras, tendez-les au-dessus de la tête et montez sur la pointe des pieds. Dans cette position, joignez les mains et tirez les bras le plus possible vers l'arrière.

◷ Une à trois répétitions suffisent pour activer les muscles.

2. Buste et flancs

● Debout, jambes écartées de la largeur du bassin, tendez les bras au-dessus de la tête et attrapez la main gauche avec la main droite. Contractez les abdominaux et serrez les fesses, puis inclinez le buste sur la droite jusqu'à ce que vous ressentiez un léger étirement. Maintenez la position quelques secondes, puis revenez.
● Faites la même chose de l'autre côté en changeant la position des mains.
◷ Une à trois répétitions suffisent pour activer les muscles.

Enrouler et dérouler la colonne active le dos et les jambes (1)

Incliner le buste sur le côté mobilise à la fois le buste et le flanc (2).

3. Cuisse et hanche

● Debout, pieds écartés de la largeur du bassin, faites un grand pas en avant avec le pied, de manière à vous placer en fente. Fléchissez la jambe avant et posez les deux mains sur la cuisse. Tout en gardant le dos descendez le bassin jusqu'à ce que le genou arrière frôle le sol. Maintenez la position quelques secondes, puis revenez lentement à la position initiale.

● Faites ensuite la même chose jambe gauche devant.

🕐 Une à trois répétitions suffisent pour activer les muscles.

4. Cuisse et mollet

● Debout, pieds joints, avancez le pied droit d'environ 50 cm et tirez les orteils vers vous. Fléchissez ensuite la jambe arrière, tout en inclinant le buste vers l'avant, dos droit, jusqu'à ce que vous ressentiez un léger étirement dans l'arrière de la cuisse. Placez les deux mains sur la cuisse de la jambe tendue et maintenez la position quelques secondes, en faisant, si vous le souhaitez, des petits mouvements saccadés très légers, puis revenez à la position initiale.

● Faites ensuite la même chose jambe gauche devant.

🕐 Une à trois répétitions suffisent pour activer les muscles.

Gardez le dos droit

Descendre en fente mobilise la cuisse et la hanche (3)

Descendre buste penché sur jambe tendue mobilise la cuisse et le mollet (4)

Conseil

Prévenir les crampes

Veiller à boire suffisamment avant chaque sortie (env. un demi-litre) et ne démarrez jamais sur les chapeaux de roue. Ne vous surmenez pas, car vous risqueriez d'avoir des crampes. Si cela devait se produire, essayez d'étirez doucement le muscle contracturé. Par exemple, en cas de crampe du mollet, asseyez-vous jambes tendues, soulevez un peu le membre touché et demandez à votre partenaire de pousser la pointe du pied vers vous.

Prêt, partez !

Avec les exercices de mobilisation, vous avez fait signe à votre corps qu'il allait bientôt falloir y aller. Il a tout de suite réagi en envoyant quelques hormones activatrices dans le sang, en augmentant la tension musculaire et en accélérant le rythme cardiaque. Vous vous sentez échauffé et bien réveillé. Votre corps vous dit : « Je suis prêt ! ».

Technique et style de course

Bien courir, ça s'apprend

« Courir, c'est donné à tout le monde ». Cette assertion n'est pas tout à fait exacte. Même les choses les plus naturelles peuvent faire l'objet d'erreurs. En ce qui concerne la course, il faut avoir la bonne posture, faire les bons gestes avec les bras et les jambes et dérouler correctement ses plantes de pied, le tout devant être parfaitement coordonné. D'ailleurs les experts eux-mêmes ne sont pas d'accord entre eux sur la meilleure façon de dérouler le pied.

Petits vols planés

Pousser, voler, atterrir

La course se distingue de la marche par la phase de vol plané. À chaque pas, les deux pieds quittent le sol pendant une fraction de seconde. Cette phase se termine par l'atterrissage du pied avant, dont l'ensemble de la plante se trouve brièvement en contact avec le sol avant de se dérouler jusqu'à la pointe et de donner l'impulsion qui propulsera le corps pour le prochain vol plané. Les vols ne sont pas des sauts en hauteur. La course est un mouvement vers l'avant et les mouvements de rebonds gênent la progression. En outre plus on saute haut, plus il faut amortir, et l'on gaspille ainsi de l'énergie.

Longueur des foulées

Si, en courant, vous essayez de gagner du terrain par des grandes enjambées vous vous fatiguerez inutilement. Votre pied atterrit

Pas de gaspillages d'énergie

trop loin du centre de gravité du corps, ce qui freine l'élan créé par le mouvement vers l'avant. À chacun des pas suivants, il vous faudra déployer un peu plus de force. Il est donc important que le point d'atterrissage du pied se trouve sous le centre de gravité du corps, un peu en avant de l'axe transversal. C'est ainsi que vous trouverez l'enjambée qui vous convient. Il est particulièrement important pour les débutants de faire des petites foulées.

Poser le pied

Quelle technique de course et pour qui ?

Les avis divergent quant à la meilleure façon — la plus rapide, la plus économique, la plus ortho-pédique — de poser le pied au sol et de le dérouler. Chaque méthode a ses avantages et ses inconvé-nients, qui peuvent être plus ou moins ressentis selon les personnes.

Course sur les talons

Le pied attaque le sol avec la face externe du talon, puis il s'abaisse et entame une rotation interne jusqu'à ce que ce que toute la plante soit en contact avec le sol. Il se déroule ensuite pour la propul-sion jusqu'à la pointe en passant par la base du gros orteil. La course sur les talons s'emploie surtout sur les grandes distances.

La bonne posture

- Faites des foulées régulières. Les grandes enjambées ont tendance à freiner.
- Garder le buste droit et, selon la cadence, légèrement penché en avant.
- La tête est droite, le regard dirigé vers l'avant.
- Les épaules sont basses et décontractées.
- Les bras oscillent légèrement au niveau de l'épaule, tout en restant collés au corps.
- Les coudes sont pliés plus ou moins à angle droit, les mains sont légèrement ouvertes.

Course sur l'avant du pied

Le pied attaque le sol avec la base des orteils, puis le métatarse s'abaisse très rapidement, suivi du talon, et le pied se déroule à nouveau jusqu'au gros orteil pour la propulsion. C'est comme ça que courent les sprinters, et nous-mêmes lorsque nous courons pieds nus sur la pelouse.

Course plantaire

Dans ce cas de figure, le pied attaque le sol par le milieu du bord interne, puis le talon s'abaisse, si bien que toute la plante se retrouve en contact avec le sol. Le pied se déroule ensuite

Idéal pour les débutants

Conseil

Dépassez les querelles de clochers ! Essayez toutes les techniques - sur les talons, sur l'avant du pied, sur la plante — et n'hésitez pas à alterner, surtout si vous sortez des sentiers battus. Avec un peu d'expérience, vous changerez automatiquement de technique en fonction du terrain : sur l'avant du pied en montée, sur les talons en descente et sur le bord latéral du pied en terrain plat.

En montée, une seule solution : courir sur l'avant du pied.

jusqu'à la base du gros orteil. Les trois techniques sont valables et, à moins de problèmes, il n'y a pas de raison de changer de façon de courir. On a toutefois constaté que les personnes qui parcourent

de grandes distances sur l'avant des pieds ont souvent des problèmes au niveau du tendon d'Achille et sont sujettes aux blessures musculaires. De leur côté, les coureurs qui attaquent systématiquement le sol avec les talons mettent leurs os et leurs articulations à rude épreuve. Cela peut se traduire à la longue par des douleurs. Seule la course plantaire semble ne pas avoir d'effets indésirables. Elle est probablement la plus indiquée pour les débutants et les personnes qui courent pour perdre du poids.

Ménager ses os et ses articulations

Cadence et respiration

Des tests ont permis aux experts sportifs de se rendre compte que les deux tiers des individus courant sans cadiofréquencemètre évaluent mal leur cadence. Ils ont tendance à courir trop vite et à passer dans la zone anaérobie, avec des taux de lactate supérieurs à 4 mmol/l (voir p. 26). Au lieu de brûler des graisses, leur organisme produit des hormones de stress qui affaiblissent le système immunitaire.

S'en référer au pouls

La justesse de la cadence se reconnaît à deux choses : la concentration d'acide lactique dans le sang et la FCE. Autrement dit : courez assez vite — ou assez lentement — pour avoir le pouls et la lactatémie qu'il faut.

Pour maigrir : la course d'endurance

Entre 65 et 80 %, vous êtes dans la bonne zone

Vous courez pour maigrir ? Alors il n'y a que deux options, surtout si vous débutez : la course d'endurance à cadence lente (à environ 65 % sa FCM pour un taux de lactate inférieur à 1,5 mmol/l) et la course d'endurance à cadence normale (jusqu'à 80 % de la FCM pour un taux de lactate de 1,5 à 2 mmol/l). Les deux sont très bonnes pour la santé, la condition physique et la perte de poids, car elles stimulent le système immunitaire et le corps puise son énergie uniquement via le métabolisme lipidique aérobie. Vous perdrez ainsi kilo après kilo et courrez avec de plus en plus d'aisance.

Connaissez-vous votre fréquence cardiaque maximale

Pour courir à la bonne cadence, il faut savoir quelle est votre fréquence cardiaque à l'effort, qui est elle-même fonction de la fréquence cardiaque maximale. Pour connaître précisément cette dernière, une seule solution : la course test, qu'on ne peut faire qu'une fois un peu entraîné. En attendant, la formule approxima-

tive 220 moins âge suffit. Pour plus d'exactitude, vous pouvez aussi utiliser la formule proposée ci-contre. Le résultat ainsi obtenu est assez fiable pour les premières semaines d'entraînement. Passé ce délai, vous pourrez le comparer à la réalité en mesurant votre FCM comme indiqué à la page 29.

La FCE optimale pour débuter

Cadence de départ

Pour une bonne combustion des graisses durant les premiers mois, courez à une cadence correspondant à 65-80 % de votre FCM. Pour calculer plus vite, servez-vous du tableau de la page 50.
Commencez en douceur par des courses d'endurance à cadence lente et veillez à ne jamais vous essouffler. Il faut laisser le temps à votre métabolisme de s'habituer à l'effort, mais la patience paie tou-

Une formule pour calculer votre FCM

Tant que vous ne serez pas en mesure d'évaluer exactement votre FCM par une course test, la formule suivante vous donnera une idée de ce qu'il en est :
$210 - 1/2$ de l'âge — 11 % du poids en kg + 4 (si vous êtes un homme) ou 0 (si vous êtes une femme).

de faire des accélérations contrôlées sur 40 ou 50 m dès les premières semaines d'entraînement. Veillez à lever progressivement les genoux jusqu'à hauteur de hanche tout en plaçant le pied sous votre centre de gravité pour une bonne propulsion en avant. Revenez ensuite tranquillement à la cadence initiale.

« Rapide » selon votre appréciation

Les accélérations ont plusieurs avantages : elles permettent d'améliorer la technique de course et la coordination, évitent de tomber dans la routine et, en vidant les réserves de sucres rapides, stimulent le métabolisme. Lorsque vous serez capable de courir 30 mn sans interruption, vous pourrez par exemple faire une accélération au bout de 10 mn, puis une deuxième 10 mn après.

Bien respirer

Pour la course d'endurance à cadence lente, il est conseillé de respirer de manière régulière en inspirant sur trois foulées et expirant également sur trois foulées. Efforcez-vous d'expulser à chaque expiration tout l'air de vos poumons. L'inspiration n'en sera que plus profonde et vous bénéficierez ainsi d'un échange gazeux optimal.

Inspiration et expiration sur 3 foulées chacune

Un coup d'œil sur votre cardio-fréquencemètre vous permet de savoir si votre FCE est correcte.

jours : vous retrouverez progressivement la silhouette de vos 20 ans.
Les courses d'endurance à cadence lente stimulent en outre le système immunitaire, renforcent le cœur et provoquent la libération dans le cerveau de sérotonine, l'hormone du bonheur.

Accélérations contrôlées

Mais il n'y a jamais de règle sans exception ! Rien n'interdit en effet

Point de côté

Si, pendant la course, il vous arrive d'avoir un point de côté, arrêtez-vous et appuyez fermement à l'endroit de la douleur tout en faisant de grandes inspirations et expirations. Autre solution : levez les bras au-dessus de la tête et étirez-vous en inclinant le buste d'un côté, puis de l'autre. Pour

Fréquence cardiaque à l'effort selon le pourcentage de la fréquence cardiaque maximale

FCM	60 %	65 %	70 %	75 %	80 %	85 %	90 %
200	120	130	140	150	160	170	180
198	119	129	139	149	158	168	178
196	118	127	137	147	157	167	176
194	116	126	136	146	155	165	175
192	115	125	134	144	154	163	173
190	114	124	133	143	152	162	171
188	113	122	132	141	150	160	169
186	112	121	130	140	149	158	167
184	110	120	129	138	147	156	166
182	109	118	127	137	146	155	164
180	108	117	126	135	144	153	162
178	107	116	125	134	142	151	160
176	106	114	123	132	141	150	158
174	104	113	122	131	139	148	157
172	103	112	120	129	138	146	155
170	102	111	119	128	136	145	153
168	101	109	118	126	134	143	151
166	100	108	116	125	133	141	149
164	98	107	115	123	131	139	148
162	97	105	113	122	130	138	146
160	96	104	112	120	128	136	144
158	95	103	111	119	126	134	142
156	94	101	109	117	125	133	140
154	92	100	108	116	123	131	139
152	91	99	106	114	122	129	137
150	90	98	105	113	120	128	135

éviter les points de côté, il est recommandé de ne pas démarrer sur les chapeaux de roue et de conserver une respiration calme et régulière tout au long de la course.

Fréquence, durée, moment

Il n'y a pas de règle générale. Fréquence, durée et heure de la journée dépendent du niveau de condition physique de chacun et des circonstances extérieures — notamment de l'emploi du temps et du lieu de résidence.

Débutants : deux ou trois fois par semaine

Donner à votre corps le temps de s'habituer

Combien de temps avez-vous tenu au test d'endurance de la page 40 ? Vous êtes sous-entraîné (moins de trois minutes) ou débutant (entre 3 et 12 minutes) ? Il faut alors suivre un programme de mise en condition. Le principe est d'alterner la marche et la course. Passez progressivement de deux à trois sorties par semaine. Votre système cardio-vasculaire et votre appareil locomoteur doivent se faire à l'effort. Aussi est-il important de respecter durant les trois premiers mois au moins un jour de repos entre chaque sortie.

Niveau moyen et confirmé : augmentation progressive

Les mêmes règles valent également pour le niveau moyen (entre 12 et 30 mn au test d'endurance) et le niveau confirmé (entre 30 et 45 mn). Commencez par courir votre temps de test d'abord deux fois, puis trois fois par semaine, voire quatre fois pour le niveau confirmé. Vous pourrez ensuite augmenter progressivement la durée de vos sorties. Veillez dès lors à brûler environ 2 000 kilocalories par semaine ou au moins 4 kilocalories par kilo de poids chaque jour (voir tableau p. 42). C'est ce qu'il y a de mieux pour votre santé.

D'abord plus souvent, puis plus longtemps

Aussi longtemps que vous le voulez et le pouvez

Dans un premier temps, la question de la durée des sorties ne se pose pas vraiment, car le manque d'entraînement ne vous permet pas de tenir la distance très longtemps, mais à mesure que vous progresserez — et perdrez du poids - vous serez capable de courir de plus en plus longtemps. À partir d'un certain niveau, il n'y a rien d'extraordinaire à courir deux heures à cadence lente. On consi-

Bientôt, vos jambes courront toutes seules

dérait autrefois que la combustion des lipides ne commençait qu'au bout de 30 mn de course, mais on sait aujourd'hui que les graisses brûlent en permanence, même au repos. Dès la première minute de course, le métabolisme commence à transformer les acides gras en énergie, et il ne s'arrête que si l'on va trop vite. Vous pouvez donc choisir la durée qui vous convient.

Gare au surmenage !

Si vous courez longtemps, il faut régler la fréquence de vos sorties en conséquence. Gardez présent à l'esprit que faire du sport sainement c'est brûler environ 2 000 kilocalories par semaine — ou au moins 4 kilocalories par kilo de poids corporel chaque jour. En dépassant la mesure, vous risquez de vous surmener. Votre corps n'a

> **Conseil**
>
> Le surmenage peut provoquer des microblessures au niveau des fibres musculaires, ce qui se traduit par des courbatures. Si cela vous arrive, recourez à des mesures favorisant la circulation sanguine : entraînement très soft pendant quelques jours, bains chauds, douches écossaises, sauna et massage doux.

plus la possibilité de récupérer suffisamment, vous vous affaiblissez et, dans le pire des cas, vous tombez malade.

Le tableau de la page 42 vous montre à combien s'élèvent les dépenses caloriques pour différentes durées, et en fonction de son poids lorsqu'on pratique la course d'endurance à cadence lente. Vous pouvez ainsi vous rendre compte du nombre de calories que vous brûlez chaque semaine.

Le bon moment

La vie est certes faite d'obligations et de choses qui n'attendent pas, mais lorsqu'on n'a pas le temps, il faut le prendre.

Le mieux, si on peut, est de courir le matin ou en fin d'après-midi. Les autres moments de la journée s'y prêtent moins. En début d'après-midi, le corps connaît un passage à vide et réclame un peu de répit. Pour lutter contre le coup de barre, certaines entreprises autorisent même leurs employés à faire un petit somme afin qu'ils soient plus performants ensuite. Courir après 19 h risque de provoquer des difficultés d'endormissement, car l'effort physique à ce moment de la journée réveille.

Après le déjeuner, la courbe des performances chute

Le matin à jeun

Alors pourquoi ne pas se réveiller avec le chant du coq et sauter dans son survêtement ? Pour les personnes qui souhaitent perdre du poids, faire un jogging avant de prendre le petit-déjeuner présente un grand avantage : le dernier repas remontant à plusieurs heures, les sucres présents dans le sang sont déjà en grande partie assimilés et les stocks sont bien entamés. L'organisme n'a donc que les acides gras pour trouver l'énergie nécessaire à l'effort. Outre cela, l'air est meilleur au petit jour que plus tard dans la journée, et la motivation est plus forte qu'en fin d'après-midi, avec une journée de travail « dans les pattes ».

Courir avant le petit-déjeuner favorise la combustion des graisses

Soft le matin, plus intensif en fin d'après-midi

Les sportifs de haut niveau s'entraînent en général deux fois par jour. Le matin, ils évitent de mettre la pression car le système immunitaire est alors plus sensible. Mais ne vous inquiétez pas. Si vous ne vous surmenez pas, vous ne courez aucun risque.

En fin d'après-midi, le corps est avide d'activité. C'est à ce moment-là que l'entraînement est le plus efficace. En outre, courir permet d'éliminer les hormones de stress accumulées par les cellules dans le courant de la journée.

Le choix du terrain

Si vous en avez la possibilité, courez en forêt ou dans la campagne,

Dans la nature, le corps et l'esprit rechargent leurs batteries

de préférence à proximité d'un cours d'eau ou d'un lac. Les paysages naturels sont un bienfait pour le corps et l'esprit. Le sol meuble des sous-bois ménage en outre les articulations. Cela ne veut toutefois pas dire qu'il faille éviter l'asphalte à tout prix. Tout dépend de la qualité de vos chaussures (voir à ce sujet page 62). Sur l'asphalte, il est possible de courir par temps de pluie sans risquer de glisser, comme en forêt ou sur les chemins de campagne.

Se détendre en courant en forêt

dernière foulée. Il est d'ailleurs préférable de marcher un peu pour laisser la pression retomber et retrouver un rythme respiratoire normal. Vous pouvez même attendre d'être rentré chez vous pour vous y mettre.
Le programme d'étirement proposé ci-après se compose de sept exercices à effectuer debout, à l'intérieur ou à l'extérieur, et de cinq exercices à effectuer allongé, de préférence sur un tapis de gymnastique ou une natte, pour favoriser le relâchement.

Après la course

De même que vous avez fait quelques exercices de mobilisation avant de commencer pour réveiller vos articulations et activer vos muscles, il faut, une fois la course terminée, faire des étirements pour défaire les tensions. Cela favorise la récupération, et donc optimise les effets de l'entraînement. La souplesse fait partie, avec la force, le tonus et la résistance, des quatre qualités d'un muscle. Lorsqu'on ne s'étire pas régulièrement, les muscles souvent sollicités raccourcissent, ce qui peut être cause de douleurs articulaires importantes. Il n'est pas indispensable de s'étirer tout de suite après la

Étirer ses muscles c'est prévenir les douleurs

Maintenir l'étirement

Les petits mouvements saccadés, autorisés en début d'entraînement pour les exercices de mobilisation, sont ici formellement interdits. Lorsqu'un muscle est étiré trop violemment, il se contracte. La meilleure façon de procéder est de s'arrêter 20 secondes sur la position dès qu'on ressent un léger étirement, puis de chercher ensuite à aller un peu plus loin. L'étirement doit durer en tout au moins 30 secondes. Travaillez dans le calme et concentrez-vous sur la sensation d'étirement. Sentez le relâchement s'opérer.

Réaction de protection : le muscle se contracte

S'étirer et se relâcher debout

1. Muscles du mollet — Côté externe

● Debout pieds joints, prenez appui contre un mur avec les deux mains à hauteur d'épaule ou à hauteur de bassin contre une rambarde. Reculez une jambe, talon décollé. Dans cette position, tendez la jambe de derrière, tout en enfonçant le talon dans le sol. La jambe tendue et le dos forment une seule ligne.
⏱ Maintenez l'étirement 30 secondes, puis changez de jambe.

2. Muscles du mollet — Côté externe

● Debout pieds joints, prenez appui contre un mur avec les deux mains à hauteur d'épaule ou à hauteur de bassin contre une rambarde. Avancez une jambe et déplacez le poids du corps sur l'avant. Dans cette position, fléchissez la jambe arrière de manière à amener le genou dans l'axe des orteils et avoir du mal à conserver le talon au sol.
⏱ Maintenez l'étirement 30 secondes, puis changez de jambe.

Après la course, commencez par étirer les muscles du mollet côté externe (1)

Passez ensuite aux muscles du mollet côté interne (2)

Amener le pied vers la fesse permet d'étirer le devant de la cuisse (3)

Étirement de l'arrière de la cuisse (4)

3. Devant de la cuisse

● Debout, pieds joints, fléchissez une jambe par-derrière et attrapez la cheville, puis amenez le pied vers la fesse tout en avançant légèrement le bassin (rétroversion). Serrez les fesses et gardez les cuisses l'une contre l'autre. Si vous avez des problèmes d'équilibre, prenez appui sur quelque chose.
⊘ Maintenez l'étirement 30 secondes, puis changez de jambe.

4. Arrière de la cuisse

● Debout, pieds écartés de la largeur du bassin, avancez une jambe de manière à vous retrouver en fente. Dans cette position, descendez le buste sur la jambe avant et passez

vos bras autour. Déplacez le poids du corps sur la jambe arrière, tout en la fléchissant et tendez la jambe avant tout en gardant le buste contre la cuisse.
⊘ Maintenez l'étirement 30 secondes, puis changez de jambe.

5. Fléchisseurs de la hanche

● Debout, pieds écartés de la largeur du bassin, avancez une jambe de manière à vous retrouver en petite fente. Dans cette position, fléchissez les deux jambes, dos droit. Décollez le talon arrière et descendez un peu le bassin sans avancer le genou avant.
⊘ Maintenez l'étirement 30 secondes, puis changez de jambe.

Étirement des
fléchisseurs de
la hanche (5)

des deux mains. Amenez le genou
le plus possible contre la poitrine.
La jambe d'appui est tendue, le
dos est droit.

⏱ Maintenez l'étirement 30 secondes, puis changez de jambe.

7. Face latérale du buste

● Debout, pieds écartés de la
largeur du bassin, tendez un bras
vers le haut et posez la paume de la
main opposée sur le ventre.
Contractez les abdominaux et
serrez les fesses, puis inclinez le
buste sur le côté.

⏱ Maintenez l'étirement 30 secondes, puis faites la même chose de
l'autre côté.

6 Fléchisseurs de la hanche et fessiers

● Debout, pieds joint, levez une
jambe fléchie et attrapez le genou

Exercice
efficace pour
étirer les
fessiers (6)

Incliner le
buste sur le
côté permet
d'étirer la face
latérale du
buste (7)

S'étirer et se relâcher en position allongée

8. Chaîne dorsale

● Allongez-vous sur le dos et attrapez vos cuisses par-derrière, genoux fléchis, mains jointes. Amenez lentement le menton à la poitrine et tendez les jambes.

9. Arrière des cuisses

● Toujours sur le dos, levez une jambe vers le plafond. Attrapez l'arrière du genou des deux mains, tendez la jambe et tirez-la vers vous en essayant d'aller le plus loin possible sans fléchir.
☺ Maintenez l'étirement 30 secondes, puis changez de jambe.

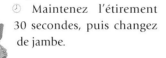

10. Fléchisseurs de la hanche 1

● Allongez-vous sur le côté, fléchissez la jambe du dessous et

attrapez le genou avec la main du dessus. La tête repose sur le bras du dessous, qui est tendu au sol dans le prolongement du corps. La jambe du dessous est fléchie à 90 °, genou en contact avec le sol. Dans cette position, amenez le genou du dessus vers la poitrine tout en étirant le plus possible la hanche opposée.
● Important : le bassin ne doit pencher ni vers l'avant ni vers l'arrière.
☺ Maintenez l'étirement 30 secondes, puis changez de côté.

11. Fléchisseurs de la hanche 2

● Toujours allongé sur le côté, fléchissez les deux jambes à 90 ° et attrapez le pied de dessus avec la main de dessus. La cuisse est parallèle au sol, dans l'axe du corps. Pour assurer l'équilibre, amenez le genou de dessous vers vous en fléchissant la hanche en contact avec le sol. La tête repose sur le bras du dessous, qui est tendu au

Étirez toujours le côté droit et le côté gauche

sol dans le prolongement du corps. Dans cette position, amenez le pied vers la fesse, hanche en extension maximale.

🕐 Maintenez l'étirement 30 secondes, puis changez de côté.

12. Adducteurs

● Replacez-vous sur le dos et amenez les genoux à la poitrine, jambes fléchies. Attrapez un genou avec la main correspondante et tirez le vers l'épaule en ouvrant la jambe. Tendez l'autre jambe sur le côté et maintenez l'équilibre en exerçant une pression suffisante sur le genou fléchi. Dans cette position, laissez la jambe tendue descendre lentement vers le sol.

🕐 Maintenez l'étirement 30 secondes, puis changez de jambe.

Lorsque le cœur n'y est pas

Se mettre au jogging est généralement chose assez facile. Mais il

À rebours

Essayez de transformer les pensées négatives en pensées positives. Par exemple :

● Non pas : je n'ai pas le temps.
Mais : je prends sur mon temps, comme ça, je serai plus en forme.

● Non pas : je me sens sans énergie.
Mais : courir va me réveiller et me donner du tonus.

● Non pas : il faut que je fasse mon jogging.
Mais : je veux courir et j'ai la chance de pouvoir le faire.

● Non pas : ça va trop lentement pour moi.
Mais : tout progrès, même minime, est bon à prendre.

● Non pas : j'ai l'air bête quand je cours.
Mais : je maigris et mon style s'améliore à chaque sortie.

peut arriver par la suite que la motivation ne soit pas toujours au rendez-vous. Une force invisible vous attire vers le canapé. Voici ce qu'il vous faut pour remédier à cela :

Revenir à la case départ ? Faites en sorte que ça n'arrive pas.

▶ des objectifs clairs et réalisables,
▶ un planning clairement établi,
▶ un arsenal de bons arguments à portée de main contre les prétextes classiques et
▶ une bonne dose de patience et de persévérance.

Du ventre de Bouddha au corps d'athlète

Connaissez-vous l'histoire de l'étonnante métamorphose de Joschka Fischer, l'actuel ministre allemand des affaires étrangères. Au milieu des années 1990, il décida du jour au lendemain de changer de mode de vie et se mit au jogging. Sa première sortie : le tour du Bundestag, environ 500 m. Et il troqua rapidement sa silhouette rondouillarde contre celle, effilée, de coureur de fond qu'on lui connaît aujourd'hui, cela malgré de nombreuses erreurs : Fischer, selon ses propres dires, courait souvent beaucoup trop vite. Ne tombez pas dans le même travers. Le nombre de kilomètres parcourus en tel ou tel temps n'a pour commencer aucune importance. La seule chose qui compte dans un premier temps, c'est comment vous courrez. Vous trouverez aux pages 67 et suivantes des programmes adaptés à votre niveau.

En tout cas, là où Joschka Fischer a très bien fait, c'est en choisissant le jogging et en réformant son alimentation de fond en comble. Cela lui a permis de perdre 35 kg sans en reprendre un seul !

Un ministre pour exemple

Il peut se passer jusqu'à un an avant que le flemmard ou la faignante qui sommeille en nous se taise complètement, que l'on n'ait plus à lutter contre sa propre paresse et que les bonnes résolutions se soient vraiment muées en changement de comportement.

Je suis ce que je pense

Pour perdre du poids en courant, la motivation ne peut venir que de vous. L'intime conviction qu'il faut maigrir, retrouver la forme et être plus performant est votre moteur. N'attendez pas des autres qu'ils vous motivent. Tout ce qu'ils peuvent faire, c'est vous encourager.

Garder toujours le but présent à l'esprit

Ce que nous pensons, le plaisir que nous éprouvons à nous mouvoir, et de quelle manière, dépend beaucoup de nos humeurs, de nos sentiments. Mais il est prouvé qu'il est possible d'influer sur son humeur par la volonté et par l'autosuggestion.

Vous pouvez donc travailler sur votre mental, vous programmer en quelque sorte pour le succès. Par des représentations et une disposition d'esprit positives, vous vous forgerez une image positive de vous-même et créerez ainsi une dynamique.

Courir à plusieurs est plus agréable — et favorise la motivation

Projetez-vous Gardez toujours présent à l'esprit pourquoi vous courrez, pensez à votre but, réfléchissez à la meilleure manière de l'atteindre. Dites-vous que la voie de la réussite peut être longue, mais qu'elle vaut toujours la peine d'être empruntée. Pensez aux kilos qu'on perd nécessairement en courant tranquillement et régulièrement.

Ruses pour tenir bon

Faites en sorte que le jogging devienne une habitude. Ne cédez pas à la petite voix intérieure qui essaye de vous persuader « qu'aujourd'hui, non ». Enfilez vos chaussures de course et mettez-vous en route. Après, vous serez content. Voici quelques ruses pour avoir raison du flemmard ou de la faignante qui sommeille en vous :

▶ Évitez la monotonie. Tout ce qui s'apparente à la routine finit par lasser. Variez les parcours, les distances et les cadences.

▶ Courez avec des amis ou un groupe. Le fait d'avoir rendez-vous est un bon antidote à la flemme.

▶ Notez de temps en temps vos impressions et un certain nombre de données en rapport avec l'entraînement (durée des sorties, pouls au repos, pouls à l'effort, poids et masse graisseuse). Le fait de constater vos progrès vous aidera à maintenir le cap.

Semaine après semaine, les données changent

L'équipement — faites le bon choix

L'un des avantages du jogging est que sa pratique ne nécessite pas d'équipement particulier, mis à part, bien entendu, une bonne paire de chaussures de course. Celles-ci doivent être adaptées à votre pied, à votre style de course et à votre poids.

Chaussures de course

Les chaussures sont le principal partenaire du joggeur. Elles vont vous accompagner par monts et par vaux. Il n'est donc pas question de les acheter à la va-vite.

Seulement chez un spécialiste

Les bonnes chaussures de course s'achètent en magasin spécialisé

Achetez vos chaussures l'après-midi, lorsque vos pieds sont un peu gonflés, comme lorsqu'on court. Adressez-vous à un bon spécialiste de la chaussure de sport. Beaucoup de magasins de sport sont aujourd'hui équipés de tapis de course avec vidéo et ordinateur pour analyser la démarche. Cela est utile, mais pas indispensable.

Rien ne remplace en revanche le conseil. Un vendeur compétent se reconnaît aux questions qu'il pose. Il doit normalement vous interroger sur votre poids, le type de sol sur lequel vous courez et l'allure à laquelle vous allez ainsi que sur la fréquence et la durée de vos sorties. Il est également important qu'il se renseigne sur votre style de course, la forme de votre pied et la façon dont vous le déroulez. Si ce sont vos premières chaussures de course, prenez avec vous une paire de tennis ou de baskets usagés. En les examinant, le vendeur pourra déjà tirer quelques conclusions concernant le maintien et l'amorti dont vous avez besoin.

Quel est votre type de pied ? Il est important de le savoir, car la façon de courir et le type de pied influent généralement l'un sur l'autre. C'est un facteur déterminant pour le choix de vos chaussures.

Pour le savoir, laissez l'empreinte de votre pied mouillé sur un support absorbant, par exemple

Demandez conseil

Montrez-moi donc vos pieds !

une grande feuille de papier buvard. Faites les deux pieds — on ne sait jamais. Il y a de fortes probabilités pour que vous rentriez dans l'une des catégories suivantes : pied normal, pied-plat ou pied creux.

Pied normal

Sur le buvard, on peut voir l'avant du pied, le bord latéral et le talon. Seule la voûte plantaire n'apparaît pas. Le déroulement de ce type de pied — attaquant le sol par le bord latéral, puis faisant une légère pronation — offre un équilibre idéal entre amortissement de l'impact et stabilité. La meilleure chaussure est construite autour d'une arche de maintien légèrement courbée (l'intérieur de la chaussure est concave). Sa principale qualité doit être la stabilité.

Pied-plat

Dans ce cas, la voûte plantaire est peu marquée. Sur le buvard, on peut voir la plante du pied dans sa quasi-totalité. L'attaque du sol est suivie d'une hyperpronation, ce qui se traduit par un mauvais amortissement des impacts et une instabilité. Ce défaut doit être compensé par le port de chaussures adaptées offrant au pied un bon maintien et un amorti accru. Elles sont équipées d'une semelle intermédiaire qui soutient la voûte affaissée et empêche la pronation excessive. Ces chaussures conviennent également aux personnes fortes.

Pied creux

La voûte plantaire est ici tellement arrondie que le buvard ne conserve l'empreinte que de l'avant du pied et du talon. Le pied attaque le sol par le bord latéral, mais ne fait pas de pronation, comme le pied normal. Sur la distance, cela se traduit par un moindre amortissement des impacts. Les personnes ayant ce type de pied ont besoin de chaussures souples et présentant un excellent amorti. La semelle intermédiaire est molle côté médial, et rigide côté latéral. La répartition du maintien suit également ce schéma.

Question de poids

Si vous pesez plus de 75 kg, il vous faut des chaussures offrant un bon maintien ainsi qu'un bon amorti. Plus on est lourd, plus le degré de rigidité de la semelle intermédiaire, normalement indiqué par le fabriquant, doit être élevé.

Essayer calmement

Alors que l'analyse de la démarche assistée par ordinateur est contestée par certains experts, tous sont d'accord sur une chose : il faut, lors de l'achat, essayer plusieurs paires et parcourir une centaine de mètres dans le magasin chaussures aux pieds. Certains magasins spécialisés acceptent même de reprendre dans un délai raisonnable les chaussures qui ne donnent pas satisfaction.

De la place pour les pieds

Par ailleurs, il est important de savoir qu'une chaussure de course doit être choisie plus grande qu'une chaussure de ville. Il doit rester une largeur de pouce entre l'extrémité du gros orteil et le bout de la chaussure (faites l'essai avec les chaussettes que vous porterez pour courir). En revanche, la chaussure doit être bien ajustée dans la partie la plus large du pied et au niveau du talon, mais surtout ne pas serrer.

Investissement à long terme

L'argent ne doit entrer en ligne de compte qu'à la fin. Choisissez la chaussure dans laquelle vous vous sentez le plus à l'aise. C'est toujours en définitive ce qu'il y a de plus rentable. Aussi, attention aux soldes et offres exception-nelles ! Si les chaussures n'offrent pas les qualités requises, vous n'y trouverez pas votre compte.

Une chaussure de course doit avoir un amorti satisfaisant car l'appa-reil locomoteur est continuellement soumis durant la course à des ondes de choc. Il faut aussi qu'elle offre un certain main-tien afin d'éviter que la cheville se torde. Si vous avez le pied creux, le pied-plat ou d'autres problèmes ortho-pédiques, par exemple un valgus ou un kyste synovial, le mieux est de confier vos chaussures de course à un chausseur ortho-pédiste qui les adaptera sur mesures.

Les chaus-sures de course doivent offrir amorti et maintien

La tenue adéquate

Mis à part l'orage, ce qu'on a coutume d'appeler mauvais temps, et qui est très subjectif, ne constitue pas une excuse valable pour rester chez soi. Si vous faites les choses sérieusement, vous devez vous constituer progressivement une petite garde-robe de vêtements fonctionnels adaptés au jogging. Vous réaliserez rapidement combien il est agréable de courir dans une tenue adéquate, quelles que soient la météo et la saison. La plupart des vêtements de sport sont aujourd'hui composés à 100 % de fibres synthétiques. Le coton n'est plus utilisé, car il emmagasine l'humidité, que se soit la pluie ou la transpiration, et ne la laisse s'évaporer que très lentement, ce qui augmente le risque de refroidissement.

L'avantage des fibres synthétiques

Conseil

À la tombée de la nuit ou en cas de brouillard, la visibilité des automobilistes est réduite et les bandes réfléchissantes de vos chaussures ne suffisent pas à vous protéger. Aussi est-il vivement conseillé de porter un gilet réfléchissant par-dessus vos vêtements ou des bandes lumineuses avec velcro sur les manches de votre veste et les jambes du collant.

Régulation thermique

La concurrence qui fait rage depuis quelques années dans le monde des articles de sport nous a valu non seulement de meilleures chaussures de course, mais aussi de nouvelles matières textiles correspondant mieux à notre besoin d'aventure et de grand air. Celles-ci ont des propriétés étonnantes qui en font presque une seconde peau. Elles sont légères et épousent la forme du corps, sont à l'épreuve de la pluie, protègent du vent et dissipent la chaleur et la transpiration. Pour toutes ces raisons, ces nouvelles fibres sont dites thermorégulatrices. La peau reste sèche et il n'y a risque ni de concentration de chaleur ni de refroidissement lié à l'évaporation. On se sent tout simplement bien, même en plein effort.

Pas de concentration de chaleur, pas de peau humide

Sous-vêtements

Avec ou sans ? Voilà la question, du moins en ce qui concerne le bas. Certains préfèrent porter un short avec slip intégré ou simplement un short cycliste (voir p. 66), les autres se sentent mieux avec un vrai slip. Si c'est votre cas, veillez à ce que le tissu contienne le moins de coton possible afin de bénéficier d'une bonne thermorégulation.

Le soutien-gorge

Le port d'un bon soutien-gorge de sport, c'est-à-dire avec bretelles croisées et armature sous les corbeilles, permet de maintenir les seins fermement en place et protège ainsi le tissu mammaire, particulièrement fragile. Le tissu doit être élastique, sauf sous les corbeilles. Les fibres naturelles ne conviennent pas. Choisissez ici aussi des microfibres qui respirent.

Short ou collant ?

Il existe deux types de shorts de course, moulants ou flottants. Les shorts de la seconde catégorie ont souvent un slip intégré. Si vos jambes ont tendance à frotter l'une contre l'autre lorsque vous courrez, mieux vaut porter un short moulant arrivant à mi-cuisse. Lorsqu'il fait frais et humide, le port d'un collant de course est préférable.

Short moulant ou flottant

Avec ou sans manches ?

Selon la température qu'il fait, le maillot peut être à manches longues, à manches courtes, sans manche ou à bretelles. Peu importe, pourvu que le tissu soit respirant et non pas absorbant comme le coton.

Paré contre les intempéries

En cas d'intempéries, pas question de sortir sans veste, même pas si c'est pour aller courir. Cette veste doit être à l'épreuve du vent et de la pluie, respirante et de préférence munie d'une capuche. Des gants fins en laine ou en matière synthétique peuvent s'avérer utiles en cas de froid intense. Si vous avez froid aux oreilles, il faut porter un bandeau frontal, voire un bonnet, car c'est par la tête que s'échappent les deux tiers de la chaleur du corps.

Protégé du vent et des intempéries

Technique de l'oignon

La sensibilité au chaud et au froid est très variable d'un individu à l'autre. Habillez-vous de manière à vous sentir à l'aise. Dans le doute, mieux vaut prévoir un peu trop, quitte à en retirer en cours de route. Mais évitez les extrêmes. Il n'y a aucun intérêt à simuler une séance de sauna ni à courir à moitié nu par moins dix degrés. Adopter la technique de l'oignon : mettez plusieurs couches de vêtements que vous pourrez enlever et remettre comme bon vous semble.

Couche sur couche, comme un oignon

Le programme pour débutant

Si votre endurance est en dessous de la moyenne et que vous souhaitez y remédier, perdre du poids et améliorer votre condition physique — alors vous avez frappé à la bonne porte. Dès que votre médecin vous aura donné le feu vert, vous pourrez vous lancer. Le programme sur trois mois proposé aux pages 68-69 vous permettra de vous initier progressivement au jogging. Si vous êtes déjà un peu entraîné ou que vous souhaitez progresser plus vite, rien ne vous empêche de passer directement au niveau supérieur (p. 70-71).

La marche rapide se distingue de la simple promenade par le but recherché. Il ne s'agit pas de flâner le nez en l'air, mais de marcher à une cadence soutenue en utilisant non seulement les jambes, mais aussi les bras, et cela, dans le but d'améliorer sa condition physique. Faites des sorties de 30-40 minutes à intervalle de plus en plus rapproché, puis sur une base quotidienne. Pour cela, pas besoin de vous mettre à chaque fois en tenue. Il vous suffit d'accélérer le pas en allant faire vos courses ou pour attraper votre bus.

La marche rapide sollicite également les bras

Marche rapide

La marche rapide : une excellente entrée en matière

La marche rapide, actuellement très en vogue, est un excellent sport d'endurance, même pour les personnes souffrant de surcharge pondérale ou de problèmes articulaires, car les risques de surmenage et de blessures y sont quasiment nuls. Mais faire de la marche rapide est aussi une façon idéale de se préparer au jogging. Le programme des pages 68-69 repose essentiellement sur l'alternance entre marche et course, avec une prédominance progressive de la seconde.

De la marche à la course

La gradation du programme proposé ci-après se fonde sur le test d'endurance de la page 40. Si vous avez tenu moins de 3 minutes, il faut commencer par le commencement, car les sept premières semaines correspondent à la phase de mise en condition. Si vous avez tenu entre 3 et 12 minutes, vous pouvez passer directement à la semaine 6 ou, tout au plus, à la semaine 8. Entre 12 et 30 mn, commencez à la semaine 12.

Programme de mise en condition pour joggeurs débutants (entre 0 et 3 mn)

SEMAINE 1 :   2 sorties   Durée de chaque sortie : 15-20 mn

Marchez pendant 3 mn en augmentant progressivement la cadence, puis faites des petites foulées pendant 1 mn. Revenez ensuite à la marche en diminuant progressivement la cadence.

SEMAINE 2 :   2 sorties   Durée de chaque sortie : 15-20 mn

Marchez 2-5 mn pour vous échauffer, puis alternez marche et petites foulées pendant 10 mn (20-30 sec. de chaque). Marchez ensuite 2-5 mn pour récupérer.

SEMAINE 3 :   2-3 sorties   Durée de chaque sortie : 20 mn

Marchez 5 mn pour vous échauffer, puis alternez marche et petites foulées pendant 10 mn (30-45 sec. de chaque). Marchez ensuite 5 mn pour récupérer. **Veillez à avoir une respiration calme et rythmée.**

SEMAINE 4 :   2-3 sorties   Durée de chaque sortie : 20 mn

Marchez 3 mn pour vous échauffer, puis alternez marche et petites foulées pendant 14 mn (20-30 sec. de chaque). Marchez ensuite 3 mn pour récupérer. **Conservez une cadence lente.**

SEMAINE 5 :   2-3 sorties   Durée de chaque sortie : 20 mn

Marchez 2 mn pour vous échauffer, puis alternez marche et petites foulées pendant 16 mn (60-90 sec. de chaque). Marchez ensuite 2 mn pour récupérer. **Votre FCE doit correspondre à environ 60 % de votre FCM.**

SEMAINE 6 :   2-3 sorties   Durée de chaque sortie : 25 mn

Marchez 2 mn pour vous échauffer, puis alternez marche (30 sec.) et petites foulées (90-120 sec.) pendant 20 mn. Marchez ensuite 3 mn pour récupérer.

SEMAINE 7 :   2-3 sorties   Durée de chaque sortie : 25 mn

Courez 2 mn pour vous échauffer, puis alternez marche (30-45 sec.) et petites foulées (2-3 mn) pendant 20 mn. Marchez ensuite 3 mn pour récupérer. **Votre FCE doit correspondre à environ 65 % de votre FCM.**

Tableau modifié d'après Peters, Christiane, Stemper, Theo. Niedernhaussen, 1996

Programme d'approfondissement pour joggeur débutant (passage de 3 à 12 mn)

SEMAINE 8 :   2-3 sorties   Durée de chaque sortie : 30 mn

Après vous être échauffé, alternez marche (45-60 sec.) et petites foulées (3-4 mn) pendant 25 mn. Marchez ensuite 3 mn pour récupérer. **Vous courez déjà 4 mn sans vous arrêter !**

SEMAINE 9 :   2-3 sorties   Durée de chaque sortie : 30 mn

Commencez par alterner 1 mn de marche et 2 mn de course, puis alternez 1 mn de marche et 5 mn. Revenez enfin à 1 mn de marche et 3 mn de course, puis marchez 2 mn pour récupérer (suivez les symboles ci-dessus). **Vous courez déjà 5 mn sans vous arrêter !**

SEMAINE 10 :   3 sorties   Durée de chaque sortie : 30 mn

Pour votre première sortie de la semaine, marchez et courez comme indiqué ci-dessus (chaque personnage représente 1 mn). Lors de la 2e sortie, courez 7 mn au lieu de 6 dans le 3e bloc et marchez 1 mn de moins à la fin. Faites la même chose lors de votre 3e sortie, mais en prolongeant cette fois le 4e bloc.

SEMAINE 11 :   3 sorties   Durée de chaque sortie : 30 mn

Maintenant que vous êtes capable de courir 7 mn d'affilée, vous allez pouvoir insérer un bloc de 10 mn au milieu de vos sorties. **Vous courez 10 mn sans vous arrêter !**

SEMAINE 12 :   3 sorties   Durée de chaque sortie : 30-40 mn

Prolongez de 2 mn supplémentaires le bloc intermédiaire. **Vous courez maintenant 12 mn sans vous arrêter !**

Programme d'approfondissement pour joggeur de niveau moyen (passage de 12 à 30 mn)

SEMAINE 13 :   3 sorties Durée de chaque sortie : 30-40 mn

Réduisez maintenant de semaine en semaine (ou d'une sortie sur l'autre) la part réservée à la marche jusqu'à ce que vous ne fassiez plus que courir. Félicitations : vous pouvez maintenant courir 30 mn sans interruption !

Les symboles    = marche et    = course représentent la part revenant respectivement lors de chaque sortie à la marche et à la course.

Entraînement pour joggeur confirmé

Après vous être entraîné régulièrement pendant quelques mois,
vous constaterez que courir vous
paraît de plus en plus facile. En
courant 30 mn ou plus au moins
trois fois par semaine, de débutant
que vous étiez, vous êtes devenu
un joggeur accompli. Vous aimez
courir et cela vous manquerait si
vous en étiez privé.

Combinez, variez

Pour progresser encore, la règle
reste la même : d'abord la
fréquence, puis la durée et enfin
l'intensité. D'après les experts
sportifs, c'est en courant trois ou
quatre fois par semaine que le
jogging est le plus efficace pour la
santé par rapport au temps passé.
Mais votre entraînement ne sera
que plus efficace et distrayant si
vous alternez différents types de
travail, comme, par exemple, la
course d'endurance à cadence
lente, la course d'endurance en
aérobie, la course par intervalles et
les montées/descentes (voir aussi
p. 33-34). Le roller en ligne, le vélo
et le ski de fond complètent également très bien le jogging.

Apporter un peu de diversité à son entraînement

L'entraînement par intervalles

Ces derniers mois, vous avez suffisamment travaillé votre endurance
pour vous permettre de tester, si
vous en avez envie, ce qui est
considéré par certains experts sportifs comme étant la méthode la
plus efficace pour perdre du poids,
à savoir l'entraînement par intervalles. Il s'agit de courir en
alternant de manière très rappro-
chée les cadences rapides et les
cadences lentes, c'est-à-dire les
phases d'effort soutenu et les
phases de récupération, afin de
stimuler au maximum le métabo-

Essayez aussi d'autres activités spor-tives, comme le roller en ligne

Vos dépenses énergétiques

Voici l'énergie (en kilocalories) que l'on dépense en moyenne par heure et en pratiquant les activités sportives suivantes :

ACTIVITÉS	50 KG	70 KG	90 KG
Aérobic	315	441	567
Marche en montagne avec sac à dos	300	420	540
Entraînement fitness (mixte)	555	777	999
Football	396	554	713
Roller en ligne	357	500	643
Musculation	348	487	626
Jogging (12 km/h)	624	874	1123
Vélo (25 km/h)	510	714	918
Natation (allure rapide)	468	655	842
Ski de fond	459	643	826
Marche rapide	320	462	594

Mettre le métabolisme au défi

lisme, dont dépend en définitive la combustion des graisses.

Mais ce genre de performance doit rester exceptionnel. Revenez le plus vite possible à la course d'endurance à cadence lente, c'est-à-dire en conservant un excédant d'oxygène (pas d'essoufflement), car elle constitue la base de votre endurance.

La compétition

Si vous en avez envie, rien ne vous empêche d'aller plus loin que le simple jogging. Vous pouvez, par exemple, prendre part, sans prépa-

ration spécifique, à un semi-marathon. Pour le marathon, il vous faudra peut-être un peu plus de patience, mais cela est tout à fait réalisable. Il existe quantité de plans d'entraînement efficaces. Quoi qu'il arrive, suivez la véritable maxime olympique : « le principal est de participer », sous-entendu atteindre la ligne d'arrivée, quel que soit le temps qu'on met. Avoir le marathon comme objectif peut aussi être une bonne motivation pour se tenir à son travail d'endurance sur le long terme. Renseignez-vous auprès de coureurs de fond et d'entraîneurs expérimentés.

Semi-marathon ou marathon

Exercices pour une silhouette irréprochable

Perdre du poids en courant est une chose, prendre de la masse musculaire et raffermir son corps par des exercices de renforcement ciblés en est une autre. Plus les muscles sont puissants, plus ils brûlent de graisses : enfin un cercle vertueux !

Connaître le fonctionnement des muscles permet de mieux comprendre en quoi consistent le travail musculaire et la manière d'aborder l'entraînement. Les exercices proposés dans ce chapitre vous permettront de vous constituer des programmes courts et efficaces pour donner à votre corps la forme que vous souhaitez.

Se muscler harmonieusement

Sachant que courir ne sollicite qu'environ 70 % de la musculature, on peut se demander ce que font pendant ce temps les autres « brûleurs » potentiels ? Eh bien, ils attendent tranquillement qu'on les active. Il faut savoir en outre que les sports d'endurance, dont la course à pied, font travailler surtout le muscle cardiaque, qui se renforce et grossit. Les autres muscles ne se développent que pour autant que cela est nécessaire à la course. Une partie du potentiel reste donc inexploitée. Aussi, pour un travail complet, est-il indispensable de faire en plus quelque chose qui sollicite l'ensemble de la musculature et transforme chaque cellule musculaire en véritable chambre de combustion.

Travailler sur deux tableaux

Seul le tissu musculaire brûle les graisses. Aussi, logiquement, plus la masse musculaire est développée, plus la combustion des graisses est importante. Courir favorise la combustion des graisses, et faire travailler ses muscles de manière spécifique permet de développer sa masse musculaire, si bien qu'en associant les deux, vous brûlerez davantage de graisses tout en raffermissant votre corps. Course à pied et renforcement musculaire forment donc une combinaison idéale pour affiner sa silhouette.

Ce qui fait toute la valeur du renforcement musculaire

Le renforcement musculaire est très bénéfique à plusieurs égards :
▶ On se sent plus léger, car la part du muscle dans chacun de nos

Brûler plus de graisses grâce au renforcement musculaire

Les avantages d'une musculature développée

Musculation et renforcement musculaire

Renforcement musculaire et musculation sont-ils la même chose ? En quelque sorte. Lorsqu'un muscle est régulièrement sollicité avec suffisamment d'intensité, il augmente en résistance et devient plus performant. En augmentant encore un peu l'intensité, il finit par augmenter de volume. Le renforcement est un processus linéaire, tandis que la prise de masse se fait par à-coups.

kilos est plus importante. Moins de graisse et plus de muscle signifient davantage de tonus dans la vie de tous les jours, une performance accrue au travail et plus de plaisir dans le sport.

Pour des raisons hormonales, les hommes courent plus de risques de se transformer en Monsieur Muscle.

▶ Les graisses se consument plus vite. Le renforcement musculaire oblige le corps à puiser dans les réserves de graisses de l'organisme pour fournir l'énergie nécessaire au développement du muscle.

▶ L'état de la musculature influe non seulement sur la plastique du corps, mais aussi sur la démarche

Pas de risques de se transformer en « musclor »

À l'inverse des hommes, les femmes ont souvent peur de prendre de la masse musculaire. Or rassurez-vous, le risque de se transformer en montagne de muscles est infime chez la femme, et cela pour des raisons génétiques. L'entraînement renforce les muscles et leur donne un peu de volume, mais juste de quoi rendre le corps plus ferme et la peau plus tendue.

et le maintien, relâché ou dynamique selon le cas.

▶ On évite les douleurs. Le mal de dos est dû dans 80 % des cas à un relâchement au niveau des muscles dorsaux. Le renforcement musculaire permet d'éviter ce problème.

▶ Le fait de soulever des charges renforce en outre les os, les articulations, les tendons et les ligaments. Il joue donc un rôle dans la prévention des blessures et de l'ostéoporose.

Réduction du risque de blessure

▶ On récupère plus vite après une maladie, une opération ou un accident.

▶ Le renforcement musculaire ralentit les processus de vieillissement. À 60 ans, on peut en paraître 40 et conserver sa mobilité jusqu'à 90 ans, voire davantage.

Anatomie du muscle

Comment les muscles fonctionnent-ils en réalité ? Ils se contractent lorsque le cerveau le leur commande, et relâchent la contraction dès qu'il le leur ordonne ou lorsqu'ils n'en peuvent plus.

En règle générale, les muscles ont deux points d'attache : le premier, appelé origine, est situé sur un os peu mobile, le second, appelé insertion, se trouve sur une partie du squelette plus mobile. Lorsqu'un muscle se contracte, il exerce une traction sur l'os sur lequel il s'insère et auquel il est normalement relié par un tendon. En conséquence, une

Origine et insertion

articulation se ferme ou s'ouvre (extension/flexion).

Agoniste et antagoniste

Pour fermer une articulation ouverte ou ouvrir une articulation fermée, nous devons contracter le muscle opposé à celui qui a permis l'ouverture ou la fermeture. Tout mouvement rythmé repose sur la contraction alternée de muscles fléchisseurs et de muscles extenseurs. Est appelé agoniste le muscle qui se contracte et antagoniste celui qui s'étire au même moment.

Flexion-extension

Enfin des effets synergiques !

Il est rare qu'un mouvement soit le fait d'un seul muscle ! Dans la plupart des cas, plusieurs d'entre eux sont impliqués. Les effets synergiques, si difficiles à obtenir en économie, sont la chose la plus naturelle du monde quand il en va du mouvement corporel. Les muscles travaillant de concert sont dits synergiques. En outres, certains muscles participent au mouvement de différentes articulations. Par exemple, la partie inférieure du quadriceps crural, muscle situé sur le devant de la cuisse, contribue activement à l'ex-

Les muscles se composent de faisceaux, eux-mêmes constitués d'une multitude de fibres musculaires.

Tirer ensemble dans la même direction

tension du genou, tandis que sa partie sa partie supérieure, proche du bassin, aide au fléchissement de la hanche.

Ce qui se passe au niveau des fibres musculaires

Les muscles se composent de plusieurs faisceaux, eux-mêmes composés d'innombrables fibres musculaires. Ce sont ces fibres qui se contractent sur ordre de l'encéphale.

Jusqu'à épuisement

Le nombre de fibres activées par le système nerveux central pour la contraction d'un muscle donné est fonction de l'intensité recherchée. Les autres fibres restent tout d'abord passives, mais sont prêtes à prendre la relève en cas de sollicitation prolongée si les fibres actives fatiguent. Cela laisse le temps à celles-ci de récupérer avant d'intervenir à nouveau si nécessaire. Si l'effort requis n'est pas trop intense, l'action peut se poursuivre ainsi sans peine pendant des heures.
À partir d'un certain degré de tension musculaire, correspondant à l'augmentation de la charge, le nombre des fibres en action est tel,

que la relève ne peut plus être assurée normalement. La durée d'intervention de chaque fibre diminue de plus en plus, et le temps de récupération est insuffisant.
Une fois toutes les fibres habituellement actives arrivées à épuisement, le muscle se trouve dans une situation délicate. La stimulation est alors maximale. Des fibres étant jusque-là toujours restées inactives se transforment en fibres actives qui seront, par la suite, capables d'entrer spontanément en action, pour une performance accrue. La musculation joue sur ce phénomène physiologique.

Pour un travail musculaire efficace

Fibres musculaires actives et inactives.

La quantité de fibres contenues dans chaque muscle est déterminée génétiquement, mais le nombre de fibres capables d'entrer en action le moment venu dépend du degré d'entraînement du muscle. Par un travail musculaire spécifique, il est possible de transformer les fibres de réserve, jusque-là inutilisées, et donc pauvres en substance énergétique, en fibres actives. Le muscle se renforce et devient plus volumineux.

Surcompensation

Les progrès en termes de performances physiques reposent sur le phénomène physiologique dit de surcompensation. Lors des périodes de récupération, les dépenses énergétiques ne sont pas seulement compensées, mais surcompensées, c'est-à-dire qu'on ne revient pas au niveau de départ, mais à un niveau de performance supérieur. En refaisant une séance au bon moment, c'est-à-dire lorsque la surcompensation est à son maximum, on sera dès le départ plus performant qu'au début de la séance précédente, et ainsi de suite. C'est pourquoi il est important de s'entraîner régulièrement ; en ce qui concerne la musculation, des pauses de deux jours sont un maximum si l'on veut progresser.

S'entraîner à intervalles réguliers

Forcez vos muscles à puiser dans leurs réserves

La musculation consiste à forcer les muscles à puiser dans leurs réserves. On leur réclame tellement d'énergie qu'ils sont obligés de faire intervenir des fibres de réserve jusque-là restées inactives. Ces fibres n'étant pas encore complètement opérationnelles,

Avec les élastiques et les haltères, on force les fibres musculaires jusque là inutilisées à entrer en action

leur activation ne permet pas de prolonger l'effort au-delà de quelques secondes.

Le muscle en difficulté « raisonne » de la manière suivante : « Pour éviter de me retrouver la prochaine fois à nouveau en situation d'échec, je vais apprendre à ces paresseuses à travailler ». C'est le principe même de la surcompensation.

La bonne charge

Pour produire les effets escomptés, le type de charge que vous choisirez — haltère, bande en latex ou (en fonction de l'exercice) poids de corps — doit être suffisamment lourd. Vous trouverez dans l'encadré ci-après des indications à ce sujet. Si la charge est trop légère, les fibres habituellement actives n'auront aucun mal à en venir à bout seules, et le travail restera sans effets. Si, à l'inverse, elle est trop lourde, vous vous épuiserez trop vite. Le roulement naturel entre fibres fatiguées et fibres reposées sera trop rapide pour être efficace.

La bonne durée

Maintenir la tension pendant 60 à 90 secondes

Pour que le travail soit efficace, la durée des exercices doit être assez longue, de manière à épuiser les fibres actives et avoir besoin du renfort des fibres jusque-là inactives. En règle générale, l'activation

Quelle intensité ?

Le travail destiné à la prise de masse musculaire nécessite une charge permettant l'exécution complète et lente du mouvement pendant au moins 60 secondes. Au bout de 90 secondes maximum, le muscle doit être fatigué et, malgré tous les efforts de volonté, ne plus être en mesure d'effectuer le mouvement correctement.

des fibres de réserve se produit au bout de 60 à 90 secondes.

Récupérer pour avoir plus de force

Une fois le muscle à bout, il faut lui permettre de récupérer. Ce n'est qu'à cette condition qu'il peut se développer. Il suffit normalement de répéter un mouvement pendant 60 à 90 secondes pour épuiser le muscle. L'enchaînement de répétitions d'un même mouvement avec une même charge constitue une série. À chaque séance, une seule série par exercice suffit. En faire davantage est inutile. C'est une perte de temps et cela risque de stresser le système nerveux. Pour pouvoir recharger complètement les batteries, le muscle qui a travaillé doit récupérer pendant 48 heures. Si on le soumet trop tôt à une nouvelle sollicitation, on obtient l'effet inverse à celui recherché. Si, en revanche, on attend trop, c'est-à-dire plus de trois jours, on perd les bénéfices.

Une série suffit

Au moins deux jours de récupération

Travailler lentement

Pour un travail efficace, il importe également de faire des mouvements lents. Contractez le muscle en quatre temps. Une fois au bout

Maintenir la contraction sur deux temps

du mouvement, contractez très fort sur deux temps, puis revenez tranquillement vers la position initiale (également en quatre temps). Notez bien *vers* la position initiale et non pas *à* la position initiale, car il n'est pas question de relâcher la tension musculaire : par définition, il n'y a pas de pauses dans une série. Le fait de procéder lentement permet en outre de concentrer son attention sur le mouvement et sur le groupe musculaire sollicité. Les résultats ne peuvent en être que meilleurs.

Pas de mouvements explosifs

En faisant attention à ses mouvements, aucun risque de se blesser.

Aller vite est risqué

Travailler vite et de manière saccadée est inefficace et risqué. Inefficace parce que c'est au début du mouvement que le muscle est le plus sollicité, ensuite l'élan agit. Risqué parce que l'impulsion initiale produit une force énorme mettant les muscles, les tendons et les articulations à rude épreuve. Cela donne souvent lieu à des petites blessures qui peuvent à la longue conduire à des problèmes chroniques. Mais des blessures plus sérieuses, telles que déchirures musculaires, sont également possibles.

Règles pour la musculation

● Combien de fois par semaines ? — Au moins deux fois, si possible trois.

● Combien d'exercices par séance ? — Huit à dix.

● Combien de séries par exercice ? — Une série.

● Quel tempo adopter pour les mouvements ? — Contractez sur quatre temps, maintenez sur deux temps, puis relâchez sur quatre temps.

● Quelle charge choisir ? — Assez lourde pour que vous ne puissiez pas la soulever pendant plus de 90 secondes et suffisamment légère pour pouvoir être soulevée au moins 60 secondes.

S'échauffer ?

Si l'on s'entraîne au bon tempo et avec des charges adéquates, il n'est pas nécessaire de s'échauffer au préalable, car le risque de blessure est alors quasiment nul. Si vous tenez vraiment à vous échauffer, vous devrez mettre ensuite des charges plus lourdes pour obtenir le même effet car vos muscles seront préparés et donc plus performants.

S'étirer ?

Il est fortement déconseillé de s'étirer avant une séance de musculation, même pour s'échauffer ! Le travail se faisant essentiellement en tension, il n'y a en effet aucun intérêt à détendre ses muscles au préalable par des étirements, au contraire. En outre, le stretching n'empêche pas les courbatures, ainsi que l'ont montré des études récentes.

Évitez également de vous étirer entre les exercices. En revanche, rien ne s'oppose à ce que vous le fassiez à la fin de la séance, du moment que vous prenez le temps de laisser auparavant retomber la tension musculaire.

En dehors des séances de musculation, le stretching est toujours très bénéfique, car le niveau de performance des muscles n'est pas uniquement fonction de leur contractilité, mais aussi de leur capacité à se détendre et de leur longueur. Un muscle surmené et raccourci manque forcément de force. En vous étirant régulièrement, vous assouplirez vos muscles et les rendrez ainsi plus forts. Mais, chaque chose en son temps. Après le jogging, le squash, le foot ou le volley, étirez au moins les groupes musculaires qui ont été le plus sollicités. Après une séance de musculation, prenez le temps

S'étirer est généralement conseillé après le sport

de vous étirer et de récupérer : le stretching détend non seulement les muscles, mais aussi l'esprit.

Après la musculation, d'abord marquer une pause, puis s'étirer

Exercices, 1ʳᵉ partie – Sans matériel

Beaucoup de gens croient que les exercices qui ne nécessitent aucun matériel sont forcément les plus simples. Pourtant, travailler contre la résistance de son propre poids requiert beaucoup de concentration si l'on veut faire les choses bien. Il importe tout d'abord de faire des mouvements lents, même lorsque l'amplitude est faible. C'est le seul moyen pour vraiment travailler tout du long — pas seulement au début et à la fin de l'exercice — et transformer chaque muscle en véritable chambre de combustion des graisses.

La qualité avant la quantité

Il est important, lorsqu'on fait un exercice, de bien placer les articulations les unes par rapport aux autres afin de faire travailler les muscles voulus. Pour cela conformez-vous rigoureusement

quilibres entre groupes muscu-laires. Des exemples de pro-grammes équilibrés figurent aux pages 110-111.

Faire travailler l'ensemble du corps

Patience ! Tout ne peut pas marcher du premier coup

aux instructions ci-après. Il est tout à fait possible que vous ayez du mal à effectuer certains exercices au début ou que vous ne parveniez pas à tenir 60 secondes. Ça ne fait rien. Ces exercices ont été choisis pour leur efficacité sur la durée et non pas pour leur facilité. La qualité de l'exécution doit toujours primer sur la quantité des répétitions. En procédant ainsi vous arriverez rapidement à tenir plus de 60 secondes.

Exercices et programmes

Vous trouverez dans les pages suivantes 16 exercices classés par groupes en fonction de la partie du corps sollicitée. Leur exécution ne nécessite aucun matériel. Si vous souhaitez vous constituer un programme sur cette base, veillez à ce qu'à chaque partie du corps corresponde au moins un exercice. Cela afin d'éviter à terme les désé-

1. Extension des pieds

● Objectif : renforcer les muscles des mollets.
● Position de départ : debout sur une marche ou une caisse stable, les talons dans le vide, le plus bas possible.
● Montez sur la pointe des pieds en quatre temps, maintenez la position sur deux temps, puis redescendez les talons en quatre temps.
☉ Faites six à neuf répétitions. Si c'est trop facile avec les deux jambes, faites la même chose sur une jambe et puis l'autre.

2. Monter-descendre

● Objectif : faire travailler l'avant de la cuisse et les fessiers.
● Position de départ : posez un pied sur une grande marche, par exemple une chaise stable placée devant vous.
● Montez en quatre temps. Arrêtez-vous en position fléchie, buste légèrement penché vers

l'avant et maintenez la position sur deux temps. Redescendez ensuite en quatre temps jusqu'à ce que la pointe de la jambe libre frôle le sol.

● Important : placez la chaise contre un mur de manière à pouvoir vous appuyer en cas de problèmes d'équilibre. Repartez tout de suite sur la même jambe.

🕐 Faites six à neuf répétitions sur une jambe, puis sur l'autre.

3. Crunchs classiques

● Objectif : renforcer les grands droits de l'abdomen.

● Position de départ : allongé sur le dos, jambes fléchies, pieds au sol près des fesses. Les bras sont tendus vers l'avant, mains au niveau de la face latérale des cuisses.

● Contractez les abdominaux et enroulez la colonne vertébrale en quatre temps, de manière à décoller les omoplates. Maintenez la position sur deux temps en plaquant le bas du dos contre le sol, puis revenez à la position initiale en quatre temps.

● Important : ne reposez pas complètement les épaules au sol entre les répétitions afin de conserver la tension.

🕐 Faites six à neuf répétitions.

4. Crunchs diagonaux

● Objectif : faire travailler les obliques de l'abdomen.

● Les muscles obliques se travaillent de la même façon que les grands droits dans l'exercice précédent, à cette différence près que les deux mains sont placées du même côté.

🕐 Faites six à neuf répétitions d'un côté, puis de l'autre.

Maintenez la tension !

5. Relevés de bassin

● Objectif : renforcer la portion inférieure des grands droits de l'abdomen.

● Position de départ : allongé sur le dos, jambes à la verticale, légèrement fléchies, bras le long du corps.

● Montez les fesses sur quatre temps en contractant très fort les abdominaux. Le mouvement se fait vers le plafond et non pas vers l'arrière. Maintenez la position sur deux temps, puis redescendez en quatre temps.

Niveaux de difficulté ● Remarque : pour augmenter la difficulté, fléchissez davantage les jambes (90 ° max.)

🕐 Faites six à neuf répétitions.

6. Relevés de bassin en diagonale

● Objectif : renforcer la portion inférieure des obliques de l'abdomen.

● Position de départ : allongé sur le dos, jambes à la verticale, légèrement fléchies, bras le long du corps.

● Montez les fesses sur quatre temps en contractant très fort les abdominaux et en pivotant légèrement le bassin de manière à diriger les deux genoux joints vers l'une des deux épaules. Maintenez la position sur deux temps, puis redescendez en quatre temps.

● Remarque : pour augmenter la difficulté, fléchissez davantage les jambes (90° max.)

🕐 Faites six à neuf répétitions d'un côté, puis de l'autre.

7. Extensions dorsales, allongé sur le ventre

● Objectif : faire travailler les muscles profonds du dos.

● Position de départ : allongé sur le dos, une jambe fléchie à env. 90°, cuisse en ouverture, bras allongés dans le prolongement du corps.

Renforcement du dos

Relevez le buste sur quatre temps en contractant les muscles profonds du dos (la tête reste dans l'axe de la colonne). Maintenez la position sur deux temps, puis redescendez en quatre temps.

● Important : ne reposez pas le buste complètement entre les répétitions de manière à conserver la tension.

🕐 Faites six à neuf répétitions d'un côté, puis de l'autre.

● Important : la main qui ne bouge pas doit être fermement appuyée au sol.

🕐 Faites six à neuf répétitions d'un côté, puis de l'autre.

9. Soulevés de bassin, en appui sur les épaules

● Objectif : renforcer les muscles profonds du dos, les fessiers et l'arrière des cuisses.

● Position de départ : allongé sur le dos, jambes fléchies, pieds au sol près des fesses. Montez le bassin en contractant les fessiers et les muscles profonds du dos. Buste et cuisses doivent former une ligne droite. Tendez une jambe, pointe du pied vers vous en gardant l'alignement.

Le bassin reste droit

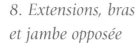

8. Extensions, bras et jambe opposée

● Objectif : faire travailler les muscles dorsaux et fessiers.

● Position de départ : allongé sur le ventre, bras tendus dans le prolongement du corps, une jambe fléchie à 90°, pied vers le haut.

● Levez la cuisse de la jambe fléchie et le bras opposé sur quatre temps en contractant les fessiers et les muscles du dos. Maintenez la position sur deux temps, puis redescendez sans reposer complètement afin de conserver la tension.

● Descendez le bassin en quatre temps jusqu'à ce que les fesses frôlent le sol, puis remontez en quatre temps. Maintenez la position sur deux temps en serrant très fort les fesses.

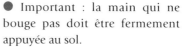

● Important : veillez à toujours garder le bassin bien droit car il a tendance à pencher du côté de la jambe tendue.

🕐 Faites six à neuf répétitions d'un côté, puis de l'autre.

10. Soulevés de bassin, en appui sur les avant-bras

● Objectif : faire travailler les muscles profonds du dos, les fessiers et l'arrière des cuisses.

● Position de départ : allongé sur le dos, jambes tendues au sol, en appui sur les avant-bras.

● Levez le bassin sur quatre temps en contractant les fessiers et les muscles profonds du dos. Buste et jambes doivent former une ligne droite. Maintenez la position sur deux temps, puis redescendez en quatre temps.

● Important : ne reposez pas complètement les fesses entre les répétitions.

🕐 Faites six à neuf répétitions.

11. Soulevés de bassin, en appui sur les mains.

● Objectif : renforcer les muscles profonds du dos, les fessiers et l'arrière des cuisses.

● Position de départ : Assis par terre jambes tendues, en appui sur les mains, posées en arrière du buste.

● Montez le bassin en quatre temps de manière à ce que le buste et les jambes forment une ligne droite. Levez ensuite une jambe tendue. Maintenez la position sur deux temps, puis redescendez en quatre temps sans reposer les fesses au sol.

● Important : veillez à toujours garder le bassin bien droit car il a tendance à pencher du côté de la jambe tendue.

🕐 Faites six à dix répétitions en changeant à chaque fois de jambe.

12. Planche latérale, en appui sur l'avant-bras

● Objectif : faire travailler les muscles obliques de l'abdomen et les muscles stabilisateurs du bassin et du tronc.
● Position de départ : allongé sur côté en appui sur un l'avant-bras.
● Montez le bassin en quatre temps jusqu'à ce que les jambes et le tronc forment une ligne droite. Les abdominaux et les fessiers sont contractés. Maintenez la position sur deux temps, puis redescendez en quatre temps.
● Important : ne reposez pas le bassin complètement entre les répétitions.
⏱ Faites six à neuf répétitions d'un côté, puis de l'autre.

13. Extensions latérales

● Objectif : faire travailler les muscles obliques de l'abdomen et les muscles stabilisateurs du bassin et du tronc.
● Position de départ : allongé sur le côté, main du dessus placée au sol devant la poitrine pour l'équilibre, bras du dessous tendu dans le prolongement du corps, tête posée dessus.
● Montez la jambe du dessus en deux temps, directement suivie de la jambe du dessous, également en deux temps. Maintenez la position sur deux temps, puis redescendez toujours en deux temps.
● Important : ne partez pas vers l'arrière. La main d'appui sert à stabiliser le buste.
⏱ Faites six à huit répétitions d'un côté, puis de l'autre.

14. Planche latérale, en appui sur l'avant-bras

● Objectif : faire travailler les muscles obliques de l'abdomen, les muscles stabilisateurs du bassin et du tronc, les abducteurs et les moyens fessiers.

● Position de départ : allongé sur le côté, en appui sur l'avant-bras, bassin levé de manière ce que le buste et les jambes forment une ligne droite. Le ventre et les fesses sont serrés.

● Descendez le bassin en quatre temps sans le reposer complètement, puis remontez en quatre temps.

2e étape de l'exercice

● Une fois revenu à la position initiale, levez la jambe du dessus en quatre temps aussi haut que vous pouvez. Maintenez la position sur deux temps, puis revenez à la position initiale en quatre temps.

● Important : ne laissez pas partir le bassin ni vers l'arrière ni vers l'avant.

☉ Faites quatre à six répétitions d'un côté, puis de l'autre.

15. Planche en appuis sur les avant-bras

● Objectif : renforcer les grands droits de l'abdomen, les fessiers et les stabilisateurs des épaules et du tronc.

● Position de départ : mettez-vous sur les avant-bras et les pointes de pieds et descendez le bassin jusqu'à ce que les jambes et le dos forment une ligne parfaitement droite.

● Levez une jambe en quatre temps. Maintenez la position sur deux temps, puis redescendez la jambe en quatre temps.

● Important : veillez à ne pas cambrer lorsque vous montez la jambe.

Ne pas cambrer

☉ Faites six à dix répétitions en changeant à chaque fois de jambe.

16. Extensions dorsales, en appui sur les mains

● Objectif : renforcer les muscles profonds du dos, les fessiers, l'arrière des cuisses et les triceps.

● Position de départ : assis adossé

à un banc ou à une chaise basse, mains sur le bord du siège.

● Tendez les bras et montez simultanément le bassin au maximum en quatre temps. Maintenez la position sur deux temps, puis redescendez sur quatre temps.

● Important : ne reposez pas les fesses au sol entre les répétitions.

🕐 Faites six à neuf répétitions.

Exercices, 2ᵉ partie — Avec bandes en latex

Il peut arriver pour certains exercices que le poids du corps ne constitue pas une charge appropriée au renforcement, soit que l'on est trop léger (et tant mieux !), ce qui peut être le cas pour l'exercice 1, soit que l'on est trop lourd. Pour palier cela, on utilise depuis quelques années des bandes en latex de différentes couleurs en fonction du degré de résistance (faible, moyenne, forte ou extra-forte) et de différentes longueurs (1 m, 2,5 m, 5 m ou plus).

Si vous comptez vous entraîner régulièrement avec des bandes en latex, prévoyez d'en acheter un bon assortiment car vous devrez régler la résistance et la longueur en fonction des exercices.

.

À chaque couleur correspond un degré de résistance.

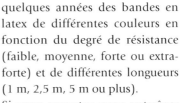

IMPORTANT

Pour votre sécurité

L'utilisation de bandes en latex nécessite un certain nombre de précautions :

● Avant de commencer l'entraînement, inspecter vos bandes à la lumière vive afin de vérifier qu'elles ne comportent ni fissures ni trous. Une bande fatiguée peut en effet lâcher à tout moment, avec les conséquences qu'on peut imaginer.

● Ne nouez pas de bande autour des articulations.

● Il ne faut jamais tirer sur une bande élastique en direction du visage.

● Défaites soigneusement tous les nœuds avant de ranger vos bandes

17. Flexion de la jambe

● Objectif : faire travailler les muscles de l'arrière des cuisses.

● Position de départ : passez une bande en latex autour d'un pied de table à hauteur de mi-mollet. Allongé sur le ventre, passez une cheville dans la boucle.

Bande légèrement tendue en position initiale

● Fléchissez la jambe en quatre temps jusqu'à ce que le talon entre presque en contact avec la fesse. Maintenez la position sur deux temps, puis revenez à la position initiale en quatre temps.

🕐 Faites six à neuf répétitions avec une jambe et puis l'autre.

18. Ouverture des jambes

● Objectif : renforcer les abducteurs et les moyens fessiers.

● Position de départ : assis par terre jambes tendues, passez une petite boucle autour de vos chevilles.

● Décollez légèrement les jambes du sol et écartez-les en quatre temps. Maintenez la position sur deux temps, puis revenez à la position initiale en quatre temps. L'élastique reste toujours plus ou moins tendu.

🕐 Faites six à neuf répétitions.

19. Fermeture des jambes

● Objectif : renforcer les adducteurs.

● Position de départ : assis par terre, une jambe tendue, l'autre fléchie, pied au sol, près de la fesse. Passez la cheville de la jambe tendue, écartée au maximum, dans la boucle d'une bande que vous aurez préalablement passée autour d'un pied de table à hauteur de cheville.

● Levez légèrement la jambe et refermez-la en quatre temps jusqu'à ce qu'elle ait pratiquement rejoint l'autre. Maintenez la position sur deux temps, puis revenez à la position initiale en quatre temps.

🕐 Faites six à neuf répétitions d'un côté, puis de l'autre.

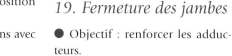

20. Crunchs latéraux

● Objectif : renforcer l'ensemble des muscles abdominaux.

● Position de départ : allongé sur le dos, jambes fléchies, pieds au sol, près des fesses, bande élastique (petite boucle) autour des cuisses, juste au-dessus du genou.

Bien serré

● Enroulez le dos sur quatre temps en contractant les abdominaux, amenez en même temps un genou vers vous contre la résistance de l'élastique et dirigez l'épaule opposée vers ce genou. Maintenez la position sur deux temps, puis redescendez en quatre temps.

● Important : veillez à avoir la cuisse de la jambe levée le plus à la verticale possible.

⏱ Faites six à neuf répétitions d'un côté, puis de l'autre.

21. Extensions, jambe levée

● Objectif : faire travailler les muscles profonds du dos, les fessiers et l'arrière des cuisses.

● Position de départ : allongé sur le dos, jambes fléchies, talons près des fesses. Levez une jambe et fléchissez-la à 90° de manière à ce que le mollet soit parallèle au sol. Placez la bande élastique autour du genou de la jambe levée et tirez des deux mains en direction du sol.

● Montez le bassin sur quatre temps jusqu'à extension complète des hanches en contractant les fessiers et les dorsaux. Maintenez la position sur deux temps, puis redescendez sans reposer les fesses au sol.

● Important : veillez à garder la cuisse de la jambe levée le plus à la verticale possible.

⏱ Faites six à neuf répétitions d'un côté, puis de l'autre.

N'oubliez le deuxième côté

20. Demi-papillon

● Objectif : renforcer les pectoraux.
● Position de départ : attachez une bande élastique à hauteur d'épaule, par exemple à une poignée de fenêtre. Passez un bras dans la boucle et placez la bande au niveau du coude. La bande est tendue.
● Amenez le bras, levé et fléchi à 90°, devant la poitrine en quatre temps. Maintenez la position sur deux temps, puis revenez à la position initiale en quatre temps.
🕐 Faites six à neuf répétitions.

tendus. La bande est également tendue. Tirez vers l'arrière en quatre temps, maintenez la position sur deux temps, puis revenez à la position initiale en quatre temps.
● Important : Mains et coudes doivent toujours rester à la hauteur des épaules.
🕐 Faites six à neuf répétitions.

24. Élévations latérales

● Objectif : renforcer les trapèzes.
● Position de départ : debout, pieds écartés de la largeur du bassin, bande élastique placée dessous. Attrapez la bande par les deux extrémités, avant-bras croisés, puis redressez-vous en conservant la position des bras (les avant-bras se croisent au niveau du nombril).

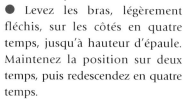

● Levez les bras, légèrement fléchis, sur les côtés en quatre temps, jusqu'à hauteur d'épaule. Maintenez la position sur deux temps, puis redescendez en quatre temps.
🕐 Faites six à neuf répétitions.

23. Rameur

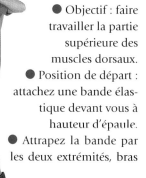

● Objectif : faire travailler la partie supérieure des muscles dorsaux.
● Position de départ : attachez une bande élastique devant vous à hauteur d'épaule.
● Attrapez la bande par les deux extrémités, bras

S'entraîner avec des haltères et des appareils

Les exercices de renforcement à faire sans matériel ou avec de simples bandes en latex touchent à leurs limites lorsqu'il s'agit de travailler de manière très ciblée ou de prendre de la masse. C'est ici que passe la frontière entre renforcement musculaire et musculation. Très lié à la kinésithérapie, le renforcement musculaire consiste à mouvoir les articulations contre une résistance afin de les stabiliser et de remédier aux déséquilibres musculaires. La musculation a, quant à elle, pour objectif le développement de la masse musculaire comme moyen (préparation physique dans le cadre d'autres disciplines) ou comme fin en soi (culturisme). Les personnes qui pratiquent la course à pied pour maigrir et garder la forme doivent trouver un mixte entre ces deux formules. Pour des résultats optimaux, le mieux est de recourir à toutes les méthodes. C'est ce que font les sportifs qui s'entraînent pour la compétition, car eux aussi souhaitent rester en bonne santé. Par ailleurs, les problèmes de santé et d'équilibre musculaire sont aujourd'hui au cœur de la plupart des méthodes de musculation.

Pour un développement musculaire sain

Poids libres

Les haltères et les barres font partie du matériel de base de la musculation, mais ils ne présentent pas que des avantages, comme on le croit habituellement. Leur utilisation ne fait pas travailler la coordination, si utile pour les autres sports. En outre, la force de gravité n'agissant qu'en direction du centre de la terre, le nombre d'exercices susceptibles de faire travailler efficacement le muscle sollicité sur toute l'amplitude du mouvement est assez restreint.

Haltères et barres : souvent surestimés

Entraînement en salle

En tant que joggeur, faut-il que je fréquente une salle de musculation ? Si vous avez vraiment à cœur de brûler des graisses et d'améliorer votre condition physique, oui ! Les machines qu'on y trouve actuellement offrent de nombreux avantages :

▶ Le déroulement des mouvements est calculé au centimètre près et ne dépend pas de la force de gravité.

▶ On peut chercher à dépasser ses propres limites sans risque d'emballement. Si les mouvements sont lents, il n'y a aucun risque de blessure.

▶ Il est possible de travailler chaque groupe musculaire isolément des autres, d'où un gain considérable en termes de force.

▶ Les charges se règlent facilement.

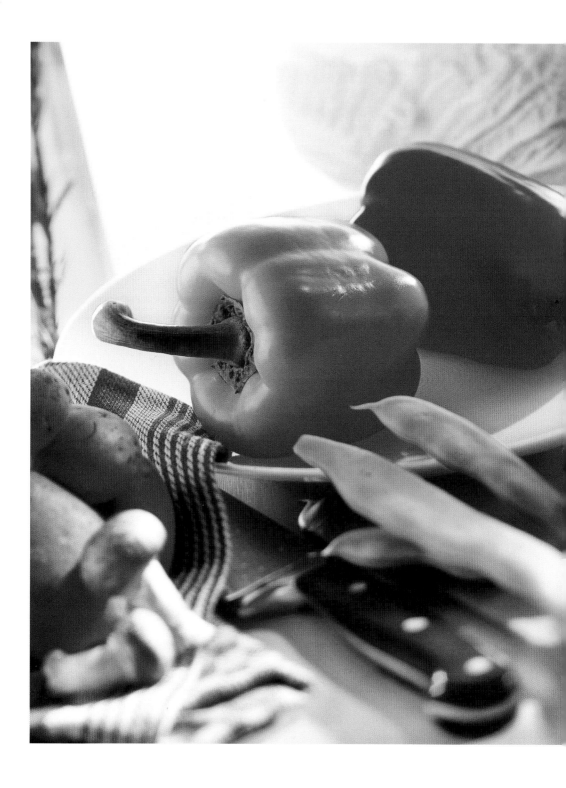

Des aliments pour la ligne

D'un point de vue diététique, la perte de poids dépend en grande partie de l'art de combiner les aliments. Vous découvrirez dans ce chapitre pourquoi sauter des repas ne sert à rien et comment un indice glycémique élevé peut rimer avec santé. Apprenez à faire la distinction entre bons et mauvais glucides afin de toujours privilégier les premiers. De même, soyez pointilleux quant au choix de vos boissons : bannissez une fois pour toutes limonades et boissons type cola, et remplacez-les par l'eau et les jus.

Alimentation brûle-graisses

Le fait de se mouvoir entraîne une dépense d'énergie et la combustion de graisses. En courant régulièrement, vous maigrirez forcément, et cela à chaque foulée. On peut toutefois se demander pourquoi, malgré un entraînement intensif, certains athlètes, comme les lanceurs de marteau, les haltérophiles ou les sumos, sont si corpulents. La réponse est simple : parce que la masse corporelle est pour eux un facteur déterminant dans l'obtention de résultats. Aussi se suralimentent-ils intentionnellement pour prendre du poids et des rondeurs. En revanche, les coureurs ne sont jamais gros.

Cependant, le jogging ne suffit pas à lui seul à retrouver durablement la ligne. Il faut y ajouter l'alimentation. Dans ce domaine, le principe est de consommer des aliments à haute valeur nutritionnelle dans de justes proportions et selon des règles de combinaison clairement établies.

Ne mangez pas comme un haltérophile

Attention aux régimes !

Les régimes font grossir ! Ils se fondent en grande partie sur la théorie des calories, aujourd'hui contestée. Selon cette hypothèse datant des années 1930, le surpoids serait principalement dû au déséquilibre entre calories ingérées et calories dépensées. Les troubles métaboliques ne joueraient ici qu'un rôle subsidiaire. En inversant le raisonnement, on en arrive logiquement à la conclusion qu'il suffit pour maigrir d'ingérer moins de calories qu'on en dépense, principe même du régime. Cela se vérifie dans les faits, du moins aussi longtemps que dure le régime. Mais ce que les mathématiciens des calories négligent de prendre en considération, c'est que notre corps n'est pas une machine dont le fonctionnement dépendrait de saisies et d'ordres, mais un organisme qui s'adapte aux circonstances selon une stratégie de survie élaborée sur plusieurs millénaires.

Les restrictions caloriques seules ne suffisent pas

L'effet yo-yo

Notre programme génétique nous commande de nous préparer aux coups durs en faisant des réserves. Cela vaut aussi bien pour l'alimentation que pour l'entraînement sportif avec le principe de surcompensation (voir p. 78).

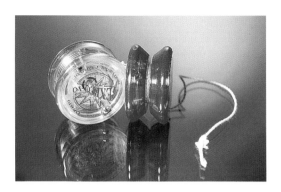

Principe de l'effet yo-yo : la prise de poids augmente après chaque régime.

Lorsqu'on mange moins, qu'on passe par exemple de 2500 kcal à 2000 kcal, le corps réagit tout d'abord comme prévu par une perte de poids, passant par exemple de 70 kg à 65 kg, mais bientôt aussi par un ralentissement de ses fonctions, ce qui est une façon de s'adapter à la diminution des apports caloriques. Ce deuxième temps s'accompagne d'une stagnation du poids. Dès qu'on se remet à manger comme avant, l'organisme profite de ce regain pour faire des réserves, et cela dans des proportions beaucoup plus importantes qu'auparavant. Bientôt, on passe de 65 kg à 72 kg, c'est-à-dire qu'au lieu de perdre 5 kg, comme on l'a cru à un moment, on en a pris deux.

Déçu, on s'empresse de se remettre au régime en se limitant cette fois à 1 500 calories. De 72 kg, on redescend à 70 kg, pour ensuite se retrouver à 74, et ainsi de suite. À s'obstiner ainsi à réduire les apports caloriques, on perd de moins de moins de poids et l'on encourage l'organisme à faire de plus en plus de réserves. À partir d'un certain moment, on prend même du poids en mangeant moins ! Tout ce qu'on obtient, c'est de la fatigue, une tension basse et des troubles de l'humeur.

Faire passer les apports caloriques en dessous de la mesure normale dans l'espoir de maigrir est donc en fait un contresens. Ce qui importe pour perdre durablement du poids, ce n'est pas la *quantité* de

Les régimes font perdre de l'eau, mais très peu de graisses.

Suppression contestée du dîner

Depuis quelque temps, la suppression pure et simple du repas du soir est souvent recommandée comme méthode d'amaigrissement. La baisse de la glycémie ainsi provoquée durant la nuit est censée conduire à une libération accrue d'hormones de croissance, qui accélère le métabolisme. Certains endocrinologues soutiennent pourtant que du fait de la régulation naturelle de la glycémie, le taux d'hormones de croissance ne peut pas augmenter suffisamment pour influer sur le métabolisme.

Ne plus rien manger passé 16 h ?

calories ingérées, mais leur *qualité* et l'équilibre entre protéines, lipides, glucides, vitamines, sels minéraux et fibres.

Indice glycémique

Comme nous l'avons déjà dit, il existe des « bons » et des « mauvais » glucides (voir p. 13). Ils se distinguent par leur effet sur le taux de sucre dans le sang (glycémie). Les mauvais le font grimper en flèche. On dit qu'ils ont un *indice glycémique (IG) élevé*. Les bons glucides font beaucoup moins monter la glycémie et entrent donc dans la catégorie des nutriments à *IG bas*.

IG = indice glycémique

Sucre : le cercle vicieux

Lorsque le taux de sucre dans le sang dépasse de beaucoup la valeur normale d'1 g/l, le pancréas libère de l'insuline, hormone chargée d'équilibrer la glycémie. Plus l'indice glycémique d'un aliment glucidique et la quantité ingérée sont élevés, plus la charge de travail est importante pour le pancréas. L'insuline veille à ce que le sucre parvienne jusqu'aux cellules. La glycémie descend alors

en dessous de la valeur normale, et le cerveau, qui se nourrit exclusivement de glucose, est rapidement en demande de sucre. On prend une nouvelle barre chocolatée, et le processus recommence du début.

L'insuline envoie le glucose dans les cellules

Tout dans les dépôts

L'insuline a une très mauvaise influence sur le métabolisme. Elle provoque la formation accrue de réserves de graisse, et cela de plusieurs façons :

● en transformant l'excès de sucre en graisse,
● en faisant en sorte que les acides gras circulant dans le sang soient acheminés jusqu'aux dépôts de graisse,
● en s'opposant à la dégradation des lipides (lipolyse) et
● en faisant augmenter le volume des cellules adipeuses.

Lorsqu'on associe glucides à IG élevé et graisses, par exemple en mangeant du chocolat au lait, des frites ou du pain blanc beurré, l'insuline libérée fait en sorte que les acides gras pénétrant dans le sang se transforment en dépôts de graisses. L'ensemble du métabolisme est alors axé sur le stockage des graisses. C'est donc par l'action de l'insuline qu'on grossit, mais la véritable cause réside dans la consommation d'aliment à IG élevé.

Augmentation de la glycémie

Lorsqu'on consomme chaque jour du sucre et certains produits transformés, tels que farine blanche ou limonade, l'insuline est constamment requise pour équilibrer la glycémie, mais, à force, le taux d'insuline dans le sang pose lui-même problème. Lorsqu'il est en permanence au-dessus de la normale, on parle d'*hyperinsulinisme*. Le métabolisme est alors durablement réglé sur le programme de stockage des graisses. Toute graisse ingérée vient augmenter les réserves et l'on grossit de plus en plus.

Du fait de la libération constante d'insuline et de l'augmentation du tissu adipeux, les cellules développent une résistance à l'insuline, ce qui est l'une des causes du diabète de type II. Le glucose sanguin a dès lors du mal à atteindre les cellules et la glycémie ne redescend plus. Suit une nouvelle libération d'insuline, et c'est le cercle vicieux. Le métabolisme de l'homme moderne, civilisé, dont l'alimentation est riche en mauvais glucides, s'est transformé en une véritable machine à fabriquer du gras.

Trop d'insuline dans le sang

Il est pourtant possible de traiter le mal à la racine, c'est-à-dire en faisant redescendre progressivement l'insulinémie par la consommation de bons glucides. Une fois un certain niveau atteint, le processus s'inverse et les graisses, au lieu d'être indéfiniment stockées, sont détruites. La résistance des cellules à l'insuline disparaît et l'on peut alors conserver durablement son poids d'équilibre.

Il est possible de mesurer soi-même sa glycémie

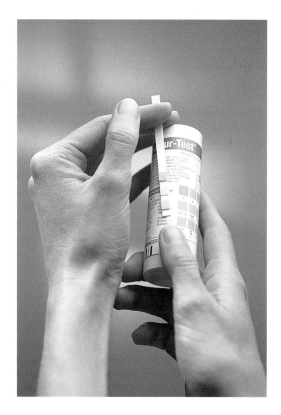

Une fois à gauche, puis toujours à droite

Jetez un coup d'œil sur la colonne de gauche du tableau de la page 101. Vous y trouverez les aliments auxquels il est préférable de renoncer lorsqu'on veut perdre du poids.

En clair, cela signifie qu'il vous faudra éviter au maximum tous les aliments à indice glycémique élevé, qui font grossir, et cela non seulement aussi longtemps que vous n'aurez pas atteint votre poids d'équilibre, mais aussi durant les six mois qui suivront l'obtention de ce résultat. Examinez maintenant la colonne de droite. Y sont répertoriés les principaux aliments à haute valeur nutritionnelle dont devra désormais se composer votre alimentation. Même passé le délai de six mois nécessaire pour pouvoir parler de stabilisation, ces aliments devront être la règle et ceux de la colonne de gauche l'exception.

Pour perdre du poids, choisissez des aliments à IG faible.

Graisses et graisses

Ce ne sont donc pas forcément les graisses, qui, par leur seule

Conseil

Si l'on veut perdre du poids, il faut rompre le cercle vicieux de l'augmentation de l'insulinémie et de l'anabolisme lipidique. Un seul moyen pour cela : renoncer aux mauvais glucides et se rabattre sur les bons : produits laitiers, céréales complètes, fruits et légumes frais. En procédant ainsi, les kilos en trop fondent normalement à vue d'œil.

Avec les fruits et les légumes, vous êtes sûr de ne pas vous tromper.

présence, occasionnent les bourrelets. Ce qui fait vraiment grossir, ce sont les mauvais glucides, qui, en provoquant une libération accrue d'insuline, favorisent la migration des acides gras en suspension dans le sang vers les cellules de stockage. Mais les graisses ont, elles aussi, leurs bons et leurs mauvais côtés. Première chose : nous en mangeons trop : 140 g en moyenne par jour au lieu des 80 g recommandés, et surtout trop de mauvaises.

Le Who's who de l'indice glycémique

Quels sont les aliments qui contiennent les mauvais glucides, ceux qui font grossir, et quels sont ceux qui contiennent les bons, qui font maigrir ? C'est ce que ce tableau, reposant les observations du professeur P. A. Crapo, nous permet de savoir. La hiérarchie établie entre les différents aliments repose sur leur teneur en glucose. Ceux dont l'indice glycémique est supérieur à 50 entrent dans la catégorie des « mauvais glucides ».

IG ÉLEVÉ (MAUVAIS GLUCIDES)		IG FAIBLE (BONS GLUCIDES)	
Bière	110	Pain aux céréales ou au son	50
Maltose	110	Riz complet	50
Limonades, sodas	100	Petits pois	50
Glucose	100	Müesli complet et sans sucre	50
Pommes de terre sautées ou au four	95	Jus de fruit frais, non sucré	40
Pain blanc qualité fast-food	95	Pain de seigle complet	40
Riz précuit	90	Flocons d'avoine	40
Purée mousseline	90	Pâtes complètes	40
Miel	90	Haricots verts et rouges	40
Carottes cuites	85	Pain complet	35
Corn-flakes	85	Seigle	35
Bretzel	85	Produits laitiers	35
Frites	80	Pois secs	35
Jus de fruits sucrés	80	Sorbet au fruit non sucré	35
Sucre (Saccharose)	75	Abricots secs	30
Baguette	70	Haricots secs, lentilles, pois chiches	30
Barres chocolatées	70	Noix	15–30
Biscuits	70	Fruits frais	10–30
Pommes de terre bouillies	70	Confitures sans sucre	25
Maïs	70	Chocolat à plus de 70%	20
Riz poli	70	Fructose	20
Pain bis	65	Yaourt nature (sans sucre)	15
Banane mûre	60	Légumes frais, tomate, citron	l 15
Fruits secs	60	Champignons	15
Confiture	55	Soja	15
Pâtes	55	Cacahuètes	15

Privilégiez les acides gras insaturés

▶ Les mauvaises graisses comprennent notamment les acides gras insaturés, que l'on trouve dans les produits d'origine animale, tels que les laitages entiers ou la charcuterie, mais aussi dans certains produits d'origine végétale, comme l'huile de palme ou de coco. Ils font monter le taux de cholestérol, augmentant ainsi le risque de maladies cardio-vasculaires, et favorisent en outre tous les autres problèmes de santé caractéristiques des pays développés, notamment l'obésité. Environ 60 % des graisses que nous ingérons sont saturées : c'est beaucoup trop.

▶ Les acides mono- et polyinsaturés sont en revanche considérés comme de bonnes graisses. Liquides à température ambiante, ils constituent un élément très important de l'alimentation dans la mesure où notre organisme ne peut pas les synthétiser. On les trouve surtout dans le poisson, les graines, les noix et les olives ainsi que dans plusieurs huiles, telles qu'olive, carthame, graines de courge, colza, pépins de raisin, sésame, noix ou tournesol. Ces huiles qui ne font pas grossir, sont

Le poisson contient beaucoup d'acides gras insaturés oméga 3

Les olives et l'huile d'olive sont riches en acides gras insaturés.

toutes parfaitement adaptées à la cuisson des aliments et à l'assaisonnement des salades.

Les bonnes associations

Bons et mauvais glucides, bonnes et mauvaises graisses : lorsque deux mauvais éléments se retrouvent dans une même assiette, les cellules adipeuses ouvrent grand leurs portes. Aussi y a-t-il des associations à éviter absolument, comme, par exemple :

● Pâtes et sauce à la crème
● Baguette et fromage gras
● Lard et pommes de terre

Graisses :
toujours avec
modération

Vous aurez en revanche tout juste si vous combinez par exemple :
● Blanc de poulet et salade verte
● Pain complet et bâtonnets de légumes
● Fruits frais, flocons d'avoine et noix
● Riz non décortiqué et poisson de mer ou fruits de mer
La pomme de terre, par ailleurs très saine, fait malheureusement partie des aliments à indice glycémique élevé. Alors n'en abusez pas, et évitez surtout de l'associer avec des aliments gras.

Conseil

Pour une bonne alimentation, il est primordial, surtout lorsqu'on a des kilos à perdre, de veiller à avoir des apports équilibrés en bonnes graisses (acides gras mono- et polyinsaturés), en bons glucides (à IG faible), en protéines et en fibres. Vous trouverez des exemples d'associations bénéfiques dans le programme brûle-graisses éclair aux pages 111 et suivantes. Suivez en outre le modèle méditerranéen : mangez peu de graisses animales et privilégiez les huiles végétales et le poisson.

Produits
de la mer

Des protéines pour les cellules

C'est avec 22 acides aminés, éléments protéiques, que l'organisme fabrique constamment de nouvelles cellules, arme le système immunitaire et produit hormones et enzymes (voir p. 14 et suiv.). D'après les recommandations de l'Agence française pour l'alimentation, nous avons besoin d'environ 0,8 à 1 g de protéines par jour et par 1 kg de poids de corps. En tant que joggeur, il n'y a aucun inconvénient à ce que vous augmentiez un peu les apports (1,2 à 1,5 g par kg de poids de corps).

Les substances
vitales
favorisent le
métabolisme
protéique

On trouve des protéines aussi bien dans les produits d'origine animale que dans les produits d'origine végétale. Au nombre des sources saines figurent les produits laitiers allégés, le poisson, la volaille, les légumes secs, la farine complète, les noix et les graines.
Répartissez votre consommation protéique de manière équilibrée sur la journée à raison de 10-20 g par repas. Lorsqu'on mange trop de protéines d'un coup, l'organisme élimine par les reins ce qu'il ne peut pas utiliser tout de suite. Dix grammes de protéines représentent par exemple 300 g de yaourt, 80 g de flocons d'avoine ou 35 g de cacahuètes. Pour 20 g de

Le lait et les produits laitiers allégés sont une bonne source de protéines.

Meilleure digestion

protéines, il faut manger par exemple 100 g de mozzarelle, 150 g de fromage blanc allégé ou 100 g de thon.

Un précieux lest

Les légumes, les fruits et les céréales brutes contiennent beaucoup de substances qui n'ont aucune valeur nutritive, mais qui jouent pourtant un rôle essentiel dans la digestion. Il s'agit des fibres.
Certaines, comme la cellulose, la lignine, la pectine, l'amidon ou les mucilages, ont un effet particulièrement bénéfique sur le transit intestinal. Lorsque l'alimentation n'en contient pas suffisamment, il y a risque de constipation chronique. Les aliments riches en fibres — c'est-à-dire tous les légumes frais, la salade verte, l'endive, les petits pois, les épinards, les haricots verts, les fruits et les céréales — contiennent en outre beaucoup de vitamines et d'oligo-éléments.
Elles freinent par ailleurs l'absorption des lipides et des glucides par l'intestin et certaines stimulent même la libération de sels biliaires, qui digèrent les graisses. Moins de graisses = réduction du risque d'artériosclérose, tandis que la diminution de l'absorption des glucides prévient l'augmentation de la glycémie.

L'endive est riche en fibres.

« Ça ne nourrit pas son homme ! » entend-on souvent dire d'un ton dédaigneux. Mais, en ce qui concerne l'organisme, les fibres prouvent qu'il n'y a pas que ça qui compte : elles sont indispensables à une alimentation saine.

Des brûle-graisses dans l'alimentation ?

Substances brûle-graisses— de quoi s'agit-il exactement ?

Des substances amaigrissantes dans les aliments, qui, par leur seule présence, déclencheraient le métabolisme lipidique — cela existe-t-il vraiment ? La question est à la mode depuis quelque temps. Le médecin nutritionniste Michael Hamm est parti à la recherche de ces substances. À sa grande surprise, il a effectivement constaté que certaines substances alimentaires et certains compléments nutritionnels avaient un effet positif sur le métabolisme lipidique.

Quelles sont les substances qui se sont révélées avoir ce pouvoir surprenant ? En voici quelques exemples, avec mise en regard de la théorie et de la pratique :

● Prise en quantité suffisante, la **carnitine** (contenue dans la viande) stimulerait la combustion des graisses, mais cela n'a pas encore été prouvé de manière univoque. Il est en tout cas certain que cette substance favorise l'irrigation des tissus et dilate les vaisseaux sanguins, ce qui, lors d'un travail d'endurance, peut faciliter la combustion des graisses.

Viande et produits laitiers : source de carnitine

● Le **chrome** est réputé optimiser l'action de l'insuline, ce qui a pour effet de réduire les fluctuations de la glycémie et de prévenir ainsi les fringales. De fait, les personnes ayant des problèmes de transformation du glucose et souffrant de fluctuations glycémiques importantes tirent profit d'une alimentation riche en fer, se composant par exemple de céréales complètes, de prunes, de viande rouge, d'œufs et de brocoli.

● Les **enzymes** d'ananas, de mangue et de papaye favoriseraient la combustion des graisses. Une chose est en tout cas certaine : ils facilitent la digestion des protéines dans le tractus gastro-intestinal, mais ne brûlent pas directement les graisses.

● La **caféine** réveille, c'est bien connu, mais il est désormais prouvé qu'elle favorise également la dégradation des corps gras en acides libres. Ces derniers doivent encore être brûlés, ce en quoi les sports d'endurance sont d'une grande utilité.

● On prétend que le **magnésium**, présent en grande quantité dans les noix, les graines, les céréales, le riz non décortiqué et le millet, favorise la combustion des graisses, mais c'est plutôt pour le métabolisme qu'il est important. Accroître les apports n'apporte toutefois rien de plus.

● Étant donné leur teneur élevée en iode, les **algues marines** devraient logiquement stimuler la production des hormones thyroïdiennes et donc, indirectement, la combustion des graisses, mais il faut se rendre à l'évidence : l'équation « plus d'iode ingéré, plus de graisses brûlées » ne se vérifie pas.

La supplémentation en iode n'est en réalité utile qu'en cas de carence avérée.

En cas de carence en iode : mangez du poisson

Seule recette qui marche

Même si l'efficacité de certains aliments quant à la combustion des graisses peut être considérée comme prouvée, il ne faut pas perdre de vue que si l'on veut perdre ne serait-ce qu'un kilo de graisse, il faut dépenser 7 000 kilocalories. Or ce n'est pas en mangeant l'un de ces aliments, ni même en les mangeant tous, que l'on peut y parvenir. Cela n'est possible qu'en suivant la seule recette qui marche : un mixte intelligent entre activité physique et alimentation juste.

Les enzymes de papaye favorisent la digestion des protéines

Hydratez-vous !

Bien que l'organisme ait besoin d'eau en abondance pour rester en bonne santé, nous buvons généralement beaucoup trop peu. Nous n'y pensons tout simplement pas. Il faut normalement absorber trois litres de liquide répartis sur la journée, et davantage encore lorsqu'on fait du sport.

Une façon simple pour ne pas oublier est d'intégrer l'hydratation à son planning de la journée, par exemple prendre un ou deux verres d'eau ou d'infusion le matin et à chaque repas. Les jus de fruits fraîchement pressés et les jus en bouteille sans sucre ajouté, que l'on aura soin d'allonger avec un peu d'eau, conviennent également

Les jus de fruit apportent des vitamines

très bien. Les trois litres quotidiens recommandés ne tiennent pas compte du café, du thé, ni des alcools. En stimulant la fonction rénale, ces boissons favorisent au contraire l'élimination de l'eau. Aussi chaque tasse ou verre consommé devrait-il être compensé par une quantité égale d'eau.

Boissons inutiles

Les boissons énergisantes sont totalement superflues pour les sportifs. Elles n'apportent rien de plus que l'eau et le jus de pommes. La seule différence notoire est le prix à payer pour paraître branché. Les limonades et les boissons type cola sont, quant à elles, à prohiber lorsqu'on veut perdre du poids, car extrêmement sucrées. La bière ne vaut pas beaucoup mieux. Elle fait en effet monter la glycémie en flèche, car le maltose est un sucre pur. Le houblon contient en outre des phytohormones qui, à force, confèrent aux hommes des formes rondes, très peu seyantes, au niveau de la poitrine, sans parler du ventre...

La bière ne vaut rien à qui veut perdre du poids

Conseil
La meilleure boisson pour les sportifs reste encore le mélange jus de pomme/eau légèrement gazeuse. Le jus de pomme apporte le potassium nécessaire à la contraction des muscles, l'eau, le magnésium, qui favorise l'oxygénation des cellules, et le calcium, qui améliore la mobilité, la coordination et la rapidité de réaction.

Programme brûle-graisses éclair

Faire du sport, s'hydrater et bien s'alimenter — voilà le secret de la silhouette idéale. Vous trouverez dans ce chapitre un programme sur dix jours combinant de manière optimale tous les éléments déterminants dans la combustion des graisses : des recettes pour manger équilibré tout en vous régalant, des séries d'exercices pour renforcer vos muscles et un programme de course varié. Votre métabolisme tournera à plein régime et vous mordrez la vie à pleines dents.

Dix jours pour retrouver la forme

Bien que vous couriez déjà depuis un moment, vous n'êtes pas encore complètement satisfait de votre silhouette ? Vous avez été un peu débordé dernièrement et vous n'avez pas eu beaucoup de temps pour vous entraîner ? Ou alors la paresse a à nouveau eu le dessus et vous éprouvez maintenant le besoin de faire quelque chose pour votre ligne ? Alors vous avez tout intérêt à faire ce programme de dix jours.

Prenez votre temps !

Le mieux serait que vous preniez dix jours de vacances et que vous consacriez tout ce temps à votre corps. Si cela n'est pas possible, commencez au moins un vendredi. Les exercices de renforcement, et surtout le programme de course, sont conçus pour commencer le vendredi et se terminer le dimanche de la semaine suivante. Il est prévu que le travail soit un peu plus intensif durant les deux week-ends, car c'est là que vous aurez le plus de temps.

Du renforcement musculaire tous les jours

Il faut compter 25 à 30 mn pour chacun des programmes de renforcement, avec 1 mn de récupération entre chaque exercice. Les courses en elles-mêmes dureront 30 à 60 mn pour les plus courtes, et au maximum 2 heures pour les plus longues, ces dernières exigeant une cadence plus lente.

Conditions requises

Pour mener à bien cette entreprise, vous devez déjà avoir une certaine expérience de la course à pied, c'est-à-dire être capable de tenir 30 mn sans interruption.

Réservé aux coureurs expérimentés

Programmes de renforcement

Programmes de renforcement 1, 2 et 3 se composent des exercices présentés aux pages 82 à 92.

Programme pour les débutants

Si vous n'avez jamais couru ou que vous manquez d'entraînement, le programme complet n'est pas adapté à votre cas. Procédez plutôt comme suit :
● Programme diététique tel quel.
● Programmes de renforcement des cinq premiers jours étalés sur dix jours (un jour sur deux).
● Programme de course allégé en vous référant, selon votre niveau de condition physique, aux schémas proposés aux pages 68-69.

● Les exercices du **programme 1** s'effectuent dans l'ordre suivant : 1, 2, 3, 4, 7, 10, 12, 15.
● Les exercices du **programme 2** dans l'ordre suivant : 5, 6, 8, 20, 21, 13, 22, 23.
● Les exercices du **programme 3** dans l'ordre suivant : 9, 17, 18, 19, 11, 14, 24, 16.

Le principal est de se sentir bien

Être à l'écoute de son corps

Si le programme vous convient tel qu'il est, c'est tant mieux ! Mais rien ne vous empêche de prendre quelques libertés. Si vous n'avez pas faim, sautez la collation. Veillez à bien récupérer. Dormez suffisamment. Hydratez-vous. Votre corps vous en sera reconnaissant. Si vous sentez que c'est trop, réduisez le

Le programme comprend une sortie par jour.

▼ **IMPORTANT**
Planning journalier

Avant de prendre le départ, encore une chose : l'ordre dans lequel sont à chaque fois mentionnés les exercices et les repas correspond au déroulement chronologique de la journée.

programme ou bien faites un break d'une journée en sautant une sortie. On gagne souvent à en faire un peu moins. Le principal est d'y trouver du plaisir.

Premier jour
Renforcement : programme 1
Petit-déjeuner

Müesli aux fruits et au babeurre

1 petite pomme • 3 c à s de jus d'orange • 1 abricot • 4 c à s de flocons d'avoine •1/2 c à s de son de blé • 20 cl de babeurre • 1 c à c de miel.
Coupez la pomme en petits morceaux et mélangez tous les ingrédients ensemble.

Déjeuner

Filet de bœuf aux tagliatelles

80 g de filet de bœuf • 50 g de champignons de Paris • 1/2 gousse d'ail • 1 petit oignon • 2 c à c d'huile • 100 g d'épinards en branche surgelés • 2 c à c de sauce soja • 5 cl de bouillon de légumes • 1 pincée de sucre • 100 g de tagliatelles complètes • gingembre en poudre • poivre

1 Passez la viande sous l'eau, détaillez-la en lanières de 4 cm de long. Nettoyez les champignons, coupez-les en lamelles. Pelez et hachez l'ail et l'oignon.

2 Faites revenir l'ail et l'oignon dans l'huile. Ajoutez la viande et faites revenir.

3 Ajoutez les champignons, les épinards, la sauce soja, le bouillon de légumes et le sucre et laisser cuire à feu doux pendant 10 mn.

4 Faites cuire entre-temps les pâtes *al dente* dans de l'eau salée, puis, après les avoir bien égouttées, versez-les dans la poêle et mélangez-les à la viande et aux légumes. Ajoutez gingembre, sel et poivre.

Collation : Fromage blanc à la pomme

Mélangez ensemble une pomme coupée en petits morceaux, 2 c à s de fromage blanc (0,2 %), 1 c à c de jus de pomme concentré et une pincée de cannelle en poudre.

Sortie

30 mn de course d'endurance à cadence modérée, à environ 65 % de votre fréquence cardiaque max.

Dîner

Salade jambon-tomate

100 g de jambon cuit • 50 g de champignons de Paris • 1 tomate • basilic frais • 1-2 c à s d'huile de colza • 1 c

à s de vinaigre de vin blanc • sel • poivre • quelques feuilles d'endive

1 Coupez le jambon en lanières. Nettoyez les champignons, coupez-les en lamelles. Lavez les tomates et coupez-les en huit.

2 Mélangez ensemble l'huile, le vinaigre, le poivre, le sel et le basilic lavé et ciselé.

3 Assaisonnez ensemble le jambon, les tomates et les champignons avec la vinaigrette. Lavez les feuilles d'endive et décorez la salade avec.

Deuxième jour

Renforcement : programme 2
Sortie

30 mn de course d'endurance à cadence normale, à environ 75 % de votre fréquence cardiaque max.

Petit-déjeuner

Tartine à l'œuf dur et au poivron

1 œuf dur • 1 tranche de pain complet • 1/2 c à c de beurre • 1/4 de poivron rouge • un peu de cresson

Beurrez la tranche de pain et garnissez-la avec l'œuf coupé en rondelles, le poivron coupé en petits morceaux et le cresson.

Déjeuner

Filet de merlu sur lit de poireau

150 g de filet de merlu • sel • poivre •

Le poivron est riche en vitamine C

1 échalote • 50 g de poireau • 2 c à c d'huile d'olive • 5 cl de vin blanc • 2 c à s d'édam râpé • 1 c à s de chapelure

1 Préchauffez le four à 180 °C. Salez et poivrez le poisson.

2 Pelez et hachez menu l'échalote. Lavez le poireau et coupez-le en fines rondelles.

Le lait aux myrtilles contient des vitamines et des protéines, mais il est peu calorique.

3 Faites revenir l'échalote et le poireau dans l'huile, puis ajoutez le vin.

4 Versez le mélange dans un plat à gratin et disposez le filet de merlu par-dessus. Mettez au four et laisser cuire environ 10 mn.

5 Mélangez le fromage râpé et la chapelure et saupoudrez-en le poisson, puis laissez gratiner 3 mn. Accompagnement : riz complet.

Sortie

5 mn de dérouillage. Course par intervalles : cadence rapide pendant 1 ou 2 mn en montant à 85-95 % de votre fréquence cardiaque max., puis cadence plus lente en redescendant à 65 % de votre FCM. Faites au total 6 intervalles. Finissez par dix minutes à cadence lente.

Collation : Lait aux myrtilles

Écrasez 50 g de myrtilles dans 15 cl de lait écrémé (0,2 %) avec 1 c à s de sirop d'érable.

Dîner

Carpaccio

50 g de tilsiter en tranches • 1 courgette • 2 c à c de vinaigre balsamique blanc • 1 c à s d'huile d'olive • sel • poivre • $1/2$ poivron rouge • quelques petits oignons blancs • quelques feuilles de basilic

Régal italien

1 Coupez les tranches de tilsiter en carré de 3 cm. Lavez les courgettes et coupez-les en tranches fines.

2 Disposez alternativement les tranches de fromage et de courgette sur une assiette. Versez un filet d'huile, salez, poivrez.

3 Lavez le poivrons, retirez les graines et coupez-le en dés. Lavez les oignons et coupez-les en fines

rondelles. Disposez les deux sur le carpaccio et parsemez le tout de basilic.

Troisième jour

Renforcement : programme 3

Petit-déjeuner

Lait caillé aux fraises

50 g de fraises • 10 cl de lait caillé • 1 c à c de miel • 1-2 c à s de flocons d'avoine granuleux

Mélangez ensemble les fraises coupées en petits morceaux, le lait caillé, l'avoine et le miel.

Déjeuner

Pommes de terre en robe des champs et fromage blanc au poivron

200 g de pommes de terre • 1/4 de poivron rouge • 1/4 de poivron jaune • 150 g de fromage blanc maigre • éventuellement un peu de lait écrémé • sel • poivre • paprika en poudre • 2 c à c de ciboulette hachée

1 Lavez les pommes de terre et faites-les cuire avec la peau à l'eau salée.

2 Entre-temps, lavez et séchez les poivrons, coupez-les en dés et mélangez au fromage blanc. Ajoutez éventuellement avec un peu de lait. Salez, poivrez et saupoudrez de paprika. Parsemez de ciboulette.

3 Pelez les pommes de terre et servir avec le fromage blanc.

Collation : Yaourt à la mangue

Écrasez 1/2 mangue dans 200 g de yaourt maigre et sucrez avec 1 c à c de miel.

Sortie

Course d'endurance d'une heure ou deux selon vos possibilités, à cadence lente, c'est-à-dire environ 65 % de votre fréquence cardiaque maximale.

Dîner

Salade de pâtes au thon et aux légumes

100 g de pâtes complètes • 1 petite carotte • 50 g de courgettes • 1/2 poireau • 1 c à c d'huile d'olive • 2 c à s de petits pois (conserve) • 1 gros cornichon au vinaigre • 1/2 oignon • 50 de thon au naturel

Pommes de terre en robe des champs et fromage blanc au poivron : bon et pas cher

• 1 c à s de vinaigre • 1 c à s de yaourt maigre • $1/2$ c à c de moutarde • sel • poivre • 1 c à s de ciboulette hachée

1 Faites cuire les pâtes al dente dans de l'eau salée. Entre-temps épluchez la carotte et coupez-la en petits dés que vous mettrez dans l'eau des pâtes en train cuire.

2 Épluchez les courgettes et coupez-les en dés. Lavez le poireau et coupez-le en deux dans le sens de la longueur, puis en rondelles. Faites revenir les courgettes, le poireau et les petits pois dans l'huile.

3 Égouttez les pâtes et mélangez aux légumes poêlés.

4 Mélangez ensemble le vinaigre, le yaourt et la moutarde. Salez et poivrez.

5 Coupez le cornichon et l'oignon en dés. Émiettez un peu le thon.

6 Mélangez tous les ingrédients ensemble, laissez macérer, puis parsemez de ciboulette.

Quatrième jour
Renforcement : programme 2
Petit-déjeuner

Le blé complet contient des bons glucides

Müesli fitness
2 abricots secs • quelques grains de raisin noir • 100 g de yaourt maigre • 2 c à s de flocons d'avoine • 1 pomme • 1 c à s de pignons de pin
Coupez la pomme en morceaux et mélangez tous les ingrédients ensemble.

Déjeuner
Poêlée de pâtes
100 g de torsades complètes • 75 g de carottes • 75 g de courgettes • 75 g de petits pois surgelés • 1 petit oignon • 2 c à c d'huile de colza • 2 c à c de menthe hachée • sel • poivre
1 Faites cuire les pâtes al dente à l'eau salée. Épluchez les carottes et les courgettes. Coupez les carottes en petits dés et les courgettes en fines rondelles.

2 Pelez les oignons, hachez-les et faites-les revenir dans l'huile. Ajoutez les carottes, les courgettes et les petits pois et laissez cuire.

3 Mélangez ensemble pâtes, légumes et menthe. Salez et poivrez.

Collation : Salade de fruit
Coupez 200 g de fraises et $1/4$ de melon en petits morceaux, mélangez et parsemez de graines de courges.

Sortie
Félicitations ! Vous êtes bientôt à la moitié du programme ! Aujourd'hui, c'est repos. Contentez-vous de quelques exercices d'étirement pour vous détendre (voir p. 55-59).

Dîner
Soupe de tomates
50 g de céleri-rave • $1/2$ oignon • 1 petite gousse d'ail • quelques branches de persil • 300 g de tomates bien mûres • 2 c à c d'huile d'olive • 6 cl de vin rouge • un peu de poivre de Cayenne • 1-2 c à c de bouillon de

légume • $1/2$ c à c de miel • 3 c à s de crème aigre • quelques feuilles de basilic

1 Épluchez et lavez le céleri et coupez-le en dés. Pelez et hachez l'ail et l'oignon. Lavez le persil, détachez les feuilles de la tige et hachez-les.

2 Lavez les tomates, coupez-les en deux et faites-les cuire dans 10 cl d'eau pendant environ 5 mn, puis passez-les au tamis.

3 Mettez l'huile à chauffer et faites revenir le céleri, l'oignon et l'ail. Ajoutez les tomates, le persil et le vin rouge. Assaisonnez avec le poivre de Cayenne, le bouillon de légumes et le miel. Laissez mijoter à couvert pendant environ 15 mn.

4 Écrasez la soupe au presse-purée et ajoutez la crème aigre. Parsemez de basilic. Accompagnement : pain complet grillé.

Cinquième jour

Renforcement : programme 1

Petit-déjeuner

Tartine aux petits radis

Petits radis : peu caloriques et riches en vitamines C

1 tranche de pain complet • 2 c à c de cottage cheese • $1/2$ botte de petits radis • sel et poivre

Tartinez le pain avec le cottage cheese et les petits radis coupez en tranches, salez, poivrez.

Déjeuner

Émincé de dinde

$1/2$ courgette (petite) • 1 carotte • $1/2$ oignon • $1/2$ gousse d'ail • 150 g d'escalope de dinde • 2 c à c d'huile de colza • 1-2 c à c de curry en poudre • sel • poivre noir • 7 cl de bouillon de volaille • 1 c à c de fécule alimentaire • 1-2 c à c de sauce soja

1 Épluchez la carotte et la courgette et coupez-les en dés. Pelez et hachez menu l'ail et l'oignon.

2 Passez l'escalope de dinde sous l'eau et détaillez-la en lanières que vous ferez revenir dans l'huile. Ajoutez sel, poivre et curry.

3 Ajoutez l'ail, l'oignon et les légumes et mélangez. Versez le bouillon et laissez mijoter à couvert.

4 Mêlez un peu d'eau à la fécule et ajoutez à la préparation. Portez rapidement à ébullition, puis ajoutez la sauce soja et, au besoin du sel, du poivre ou du curry. Accompagnement : riz complet.

Collation : Kéfir aux myrtilles

Écrasez 100 g de myrtilles dans 20 cl de kéfir. Ajoutez 2 c à s de flocons d'avoine tendre et 1 c à c de miel et écrasez encore un peu.

Sortie

Course d'endurance de 50-55 mn : 15 mn à 60-70 % de votre fréquence cardiaque maximale, 15 mn à 70-80 % de votre fréquence cardiaque maximale, 15 mn à 80-

Bruschetta à la tomate et basic frais : un petit goût de vacances

90 % de votre fréquence cardiaque maximale et, pour finir, 5 à 10 mn en petites foulées.

Dîner

Bruschetta

4 tranches de baguette complète • 2 tomates • 2 c à c d'huile d'olive • 1 c à s de basilic haché • sel • poivre • 1 gousse d'ail

1 Faites griller les tranches de pains des deux côtés. Lavez les tomates, coupez-les en quatre, enlevez les pépins et coupez-les en dés.

2 Faites revenir les morceaux de tomate dans l'huile. Laissez un peu refroidir, puis ajoutez le basilic, le sel et le poivre.

3 Coupez la gousse d'ail en deux et frottez le pain avec. Étalez la tomate sur le pain.

L'ail frais entretient la jeunesse du cœur et des artères

Sixième jour

Renforcement : programme 3

Petit-déjeuner

Tartines aux œufs brouillés

2 tranches de pain complet • beurre • quelques feuilles de salade • 2 tranches de longe de porc séchée sans la couenne • 2 œufs • 1 c à c de ciboulette hachée.

Préparez les œufs brouillés, beurrez légèrement les tranches de pain et garnissez avec les tranches de jambon et les œufs. Parsemez de ciboulette.

Déjeuner

Poêlée de pommes de terre à l'orientale

80 g de filet de bœuf • 1 c à s de sauce soja • 1 c à c de jus de citron • $1/2$ c à

c de fécule • 1 petite carotte • 100 g de pommes de terre à chair ferme • 2 petits oignons blancs • 1 c à s d'huile de colza • sel • poivre • 5 cl de bouillon de légumes • 30 g de germes de soja • 1 c à s de Xérès sec • 1 c à c de gingembre râpé

1 Passez la viande sous l'eau et détaillez-la en lanières que vous mélangerez avec la sauce soja, le jus de citron et la fécule. Laissez mariner environ 20 mn.

2 Épluchez la carotte les pommes de terre et taillez le tout en bâtonnets.

3 Lavez les oignons et coupez-les en fines rondelles.

4 Faites chauffer l'huile dans un wok et mettez-y la viande marinée à revenir, puis réservez-la.

5 Faire revenir les bâtonnets de carotte et de pomme de terre dans le wok. Ajoutez le bouillon et le restant de marinade et laissez cuire environ 5 mn.

6 Mettre la viande, les germes de soja et les rondelles d'oignon à cuire avec le reste.

7 Ajoutez sel, poivre, sherry et gingembre râpé.

Collation : Dips de poivron
Coupez un poivron en lanières que vous tremperez dans 30 g de fromage frais maigre

Sortie

30 mn de course d'endurance normale à environ 75 % de votre fréquence cardiaque maximale.

Dîner

Omelette au saumon

1 œuf • sel • poivre • 1 pincée de poivre de Cayenne • 1 c à s d'aneth haché • 1 c à s de ciboulette hachée • 50 g de saumon fumé • 1 c à c d'huile • 1 tranche de pain complet

1 Battre l'œuf avec les herbes et les épices.

2 Détaillez le saumon en fines lanières.

3 Faites chauffer l'huile dans une poêle en téflon. Versez-y l'œuf battu et les lanières de saumon et laissez prendre l'omelette.

4 Étalez sur le pain.

L'omelette au saumon peut être enroulée de manière à former un petit pâté.

Les oméga 3 contenus dans le saumon font baisser le taux de cholestérol

Septième jour

Renforcement : programme 2

Petit-déjeuner

Müesli à l'orange

*1 orange • 1 c à s de noix hachées •
3-4 c à s de flocons d'avoine gros •
250 g de lait écrémé • 2 c à c de miel.*
Mélangez ensemble les quartiers
d'orange, les noix et les flocons
d'avoine, versez le lait par-dessus
et ajoutez le miel pour sucrer.

Déjeuner

Salade de poulet

*100 g de poitrine de poulet • sel •
poivre • 2 c à c d'huile de colza • 1
pamplemousse • 1 petit oignon rouge •
$1/2$ avocat • 2 c à c de jus de citron • 1
c à s de vinaigre de vin blanc • 1 pincée
de sucre • 1 c à s de ciboulette hachée*
1 Passez la viande sous l'eau, salez
et poivrez-la. Faites-la cuire dans
l'huile et détaillez-la en lanières
après l'avoir laissé refroidir un peu.
2 Épluchez le pamplemousse,
enlevez les peaux et coupez-le en
deux. Pelez l'oignon et coupez-le
en rondelles.
3 Coupez l'avocat en deux, retirez
noyau et peau et taillez la chair en
fines lamelles. Aspergez de jus de
citron
4 Mélangez ensemble le vinaigre,
le sucre, l'huile et la ciboulette.
Salez et poivrez.
5 Mélangez ensemble la viande,
l'avocat et le pamplemousse et
ajoutez la vinaigrette. Accompagnement : petits pains complets.

Sortie

Laissez pendant environ 45 mn
libre cours à votre imagination et
faites selon votre humeur. Choisissez de préférence un parcours
présentant des montées et des
descentes. Variez la cadence entre
marche et sprint et n'hésitez pas à
slalomer ou à faire des sauts si le
cœur vous en dit.

*Courez aujour-
d'hui à votre
guise*

Collation : Fromage blanc au chou-rave

Râpez un 1/2 chou-rave et mélangez-le à 1 c à
s de fromage blanc maigre avec des herbes
fraîches.

Dîner

Soupe jardinière

*125 g de chou-fleur • 50 g de pois
mange-tout • $1/2$ poivron rouge • 25
cl de bouillon de légumes • 1 tranche
de pain complet grillé • 1 c à c de
beurre • 1 c à c de parmesan râpé •
sel • poivre • 1 c à c de persil haché*
1 Lavez le chou-fleur et séparez les
rosettes. Lavez les pois mange-tout
et coupez-les en losanges.
2 Lavez le poivron et coupez-le en
dés.
3 Portez le bouillon à ébullition et
faites cuire les légumes dedans
pendant 15 mn.

4 Coupez le pain grillé en cubes que vous ferez revenir dans le beurre et mélangerez au parmesan.

5 Salez et poivrez la soupe, puis saupoudrez-la de persil et de croûtons.

Huitième jour

Sortie

30 mn de course d'endurance lente à jeun, à environ 65 % de votre fréquence cardiaque maximale.

Petit-déjeuner

Tartine au fromage frais et à la poitrine de dinde

Le fromage frais est trop gras

1 c à s de fromage frais allégé • 1 c à s de flocon d'avoine • jus de citron • $1/2$ c à c de raifort • 1 tranche de pain complet • 1 tranche de poitrine de dinde fumée

1 Mélangez ensemble le fromage frais, les flocons d'avoine, le jus de citron et le raifort.

2 Étalez le mélange sur le pain et recouvrez avec la tranche de poitrine de dinde.

Déjeuner

Filet de bœuf à la ratatouille

100 g de pommes de terre • sel • $1/2$ aubergine (petite) • 1 petite courgette • $1/2$ poivron rouge • $1/2$ poivron jaune • 2 petites tomates • 1 c à s d'huile d'olive • poivre noir • 1

branche de thym • 125 g de filet de bœuf

1 Faites cuire les pommes de terre à l'eau salée. Lavez l'aubergine, la courgette, les poivrons et les tomates et coupez-les en dés. Faites revenir les légumes dans un peu d'huile.

2 Ajoutez un peu d'eau, salez et poivrez. Mettez la branche de thym et laissez mijoter le tout pendant environ 20 mn.

3 Passez la viande sous l'eau, essuyez-la, passez-la dans le restant d'huile et faites-la cuire dans une poêle en téflon environ 2 mn de chaque côté. Salez et poivrez.

Collation : Demi-pamplemousse au miel

Coupez un pamplemousse en deux, réservez une moitié et laissez couler un peu de miel sur l'autre.

Renforcement : programme 3

Dîner

Sandwich au jambon

2 tranches de pain complet • 1 feuille de salade • 1 petit radis • 1 gros cornichon au vinaigre • 1 c à c de crème aigre • 1 tranche de jambon cuit

1 Grillez le pain. Lavez la salade et le petit radis. Coupez le petit radis et le cornichon en tranches.

2 Toastez une tranche de pain grillée avec la crème aigre.

Disposez la salade, le jambon et les tranches de radis et de cornichon, puis couvrez le tout avec la deuxième tranche de pain grillé.

Neuvième jour

Renforcement : programme 1
Sortie
45 mn de course d'endurance lente à jeun, à environ 65 % de votre fréquence cardiaque maximale.

Petit-déjeuner
Müesli à boire
Des vitamines pour la journée

1 orange • $^1/_2$ banane • 10 cl de jus de pomme • 2 c à s de germes de blé • 10 cl de babeurre • 3 c à s de flocons d'avoine tendres
1 Épluchez l'orange et la banane et coupez-les en morceaux assez gros.

2 Mélangez les fruits aux autres ingrédients et passez le tout au mixeur. Versez dans un grand verre.

Déjeuner
Paella de légumes
$^1/_2$ courgette (petite) • $^1/_2$ poivron rouge • $^1/_2$ aubergine • 50 g de champignons de Paris • 1 petit oignon • 1 petite gousse d'ail • 1-2 c à s d'huile d'olive • 50 g de riz complet • 2 pincées de safran • 15 cl de bouillon de légumes • 2 c à s de petits pois surgelés • sel • un peu de persil haché
1 Lavez la courgette, le poivron, l'aubergine et les champignons et coupez-les en petits morceaux. Pelez et hachez l'ail et l'oignon.
2 Faites revenir l'ail et l'oignon dans l'huile. Ajoutez le riz et laissez cuire.

La paella aux légumes admet toutes les variations possibles.

3 Ajoutez le safran et les légumes et laissez mijoter un peu.

4 Versez le bouillon et laissez cuire pendant 25 mn en remuant de temps en temps. Ajoutez les petits pois et laisser cuire encore 5 mn. Salez et parsemez de persil.

Sortie

C'est votre deuxième course de la journée ! Vous êtes maintenant bien entraîné et il n'y a pas de raison de flancher.

Entraînement par intervalle : le moyen le plus sûr de perdre du poids

Cette sortie consiste en une course par intervalles : 5 mn de dérouilla-ge, 30 sec. d'accélération (accélérez sur 20 sec. pour atteindre votre allure maximale et maintenez 10 sec.), 2 mn de petites foulées. Faites en tout cinq intervalles, puis une dernière accélération et termi-nez par 7 mn de petites foulées.

Collation : Babeurre à l'orange et aux baies d'argousier

Écrasez 2 c à s de baies d'argousier dans 15 cl de babeurre. Ajoutez le jus d'une orange pressée et 2 c à s de flocons d'avoine instan-tanés et mélangez.

Dîner

Salade Tex-Mex

$1/2$ *poivron rouge • 1 branche de céleri • 50 g de mâche • $1/2$ avocat • 3 c à s de haricots nains (conserve) • 1 c à s de jus de citron • 1 c à c de miel • 1 c à c d'huile d'olive • sel • poivre*

1 Lavez le poivron et le céleri et les coupez-les en dés. Lavez et essorez la mâche.

2 Épluchez l'avocat et coupez-le en fines lamelles.

3 Mélangez tous les ingrédients ensemble, y compris les haricots et assaisonnez avec la vinaigrette (jus de citron, miel huile, sel, poivre).

L'avocat contient des graisses utiles

Dixième jour

Renforcement : programme 2

Petit-déjeuner

Toast au saumon et à l'œuf dur

1 c à s de crème aigre • 1 c à c de moutarde à l'ancienne • sel aux herbes • poivre • 50 g de saumon fumé • quelques câpres • 1 c à s d'oignon haché • 1 tranche de pain complet • 1 feuille de salade • 1 œuf dur

1 Mélangez la crème et la moutar-de. Salez et poivrez.

2 Détaillez le saumon en petits dés et mélangez avec les câpres et l'oi-gnon.

3 Tartinez la tranche de pain avec le mélange crème/moutarde, cou-vrez avec la feuille de salade et étalez dessus le mélange sau-mon/câpres/oignon.

4 Écalez l'œuf et coupez-le en ron-delles, que vous disposerez sur le toast.

Déjeuner

Risotto aux asperges

*250 g d'asperges vertes • sel •
1 pincée de sucre • $^1/_2$ oignon (petit)
• 2 c à c d'huile d'olive • 90 g de riz
rond • 2 c à s de vin blanc • poivre •
50 g de crabe précuit*

1 Lavez les asperges et coupez l'extrémité coriace. Faites bouillir 25 cl d'eau salée et sucrée. Plongez-y les asperges et laissez-les cuire environ 15 mn. Retirez-les et réservez le bouillon.

2 Coupez les têtes d'asperge et détaillez les tiges en tronçons.

3 Épluchez et hachez l'oignon. Faites revenir les tronçons d'asperges et l'oignon dans l'huile.

4 Ajoutez le riz, laissez chauffer, puis aspergez de vin blanc. Versez ensuite le bouillon par étapes, de

Risotto aux asperges et au crabe : pour terminer votre programme en beauté.

Collation

Offrez-vous en récompense une barre aux céréales.

manière à ce que le riz soit toujours couvert.

5 Émiettez le crabe et mélangez-le au riz. Salez, poivrez. Ajoutez les têtes d'asperge et redonnez un coup de chaud.

Sortie

Course d'endurance d'une à deux heures, selon vos possibilités, à environ 65 % de votre fréquence cardiaque maximale. Et maintenant : félicitations ! Mission accomplie. Vous pouvez jouir pleinement de votre soirée !

Dîner

Soupe de riz au safran

*25 cl de bouillon de légumes •
quelques stigmates de safran • 20 g
de riz non décortiqué • 1 petite courgette • $^1/_2$ poivron rouge • sel •
poivre • un peu de persil*

1 Portez le bouillon à ébullition et plongez-y le riz et le safran. Laissez cuire à feu moyen pendant environ 30 mn.

2 Épluchez et râpez les courgettes. Lavez le poivron et coupez-le en dés. Plongez les légumes dans la soupe et laissez cuire environ 50 mn.

3 Salez, poivrez et parsemez de persil.

Bibliographie

Grillparzer, Marion :
*Brûleurs de graisses – Pour retrouver
la forme et la garder*
Vigot, 2001

Grillparzer, Marion :
*Brûleurs de graisses – Programme
d'alimentation*
Vigot, 2002

Grillparzer, Marion :
La soupe magique au chou
Vigot, 2004

Grillparzer, Marion :
*La soupe magique – Maigrir sans
avoir faim*
Vigot, 2002

Regelin Petra :
Stretching
Vigot, 2004

Rüdiger, Margit :
La marcher rapide
Vigot, 2003

Schmauderer, Achim :
*Gymnastique de la colonne
vertébrale*
Vigot, 2004

Strunz, Ulrich
Rester jeune – La clef du succès
Vigot, 2002

Strunz, Ulrich
*Rester jeune – Programme d'ali-
mentation*
Vigot, 2002

Strunz, Ulrich
Rester jeune – Le travail musculaire
Vigot, 2002

Wade, Jennifer :
Brûler les graisses
Vigot, 2003

Reichardt, Helmut :
Gymnastique douce
Vigot, 1998

Index des recettes

Index

Avertissement

Les conseils, informations et enseignements délivrés dans ce manuel reflètent l'expérience et le point de vue de l'auteur. Leur exactitude et leur fiabilité ont été soigneusement vérifiées, mais ils n'ont en aucun cas vocation à se substituer à l'avis éclairé d'un médecin. Le lecteur est donc seul responsable de l'usage qu'il en fait. L'auteur et l'éditeur déclinent toute responsabilité quant à d'éventuels dommages encourus suite à la lecture du présent ouvrage.

Crédits photographiques :

Toutes les photos sont de Tom Roch à l'exception de : GU-Archiv : p. 12, 13, 14, 16, 17, 105, 106, 113 (Studio Schmitz), 28, 34, 47, 53, 64, 75, 78 (Andreas Hosch), 32, 36 (Bärbel Büchner) 70, 99, 100 (Tom Roch), 94-95, 104 (Manfred Jarheiß), 102 (Andreas Hoernisch), 111 (Michael Nischke) ; IFA Bilderteam : p. 108-109 ; Jump : première de couverture, p. 23 (Kristiane Vey), quatrième de couverture (Anette Falck), p. 25 (L. Lenz), 61 (Martina Sandkühler) ; Mauritius : p. 4 (Gebhardt), 9 (Pöhlmann), 19 (age), 27 (Habel), 76 (Phototake), 97 (Akinci) ; Kai Mewes : p. 121 ; Photonica : p. 2, 6-7 (Neo Vision) ; Polar : p. 41 ; Stockfood : p. 114, 117, 118, 123.
Illustrations : Detlev Seidensticker, Munich

Traduction française par Manuel Boghossian

Pour l'édition originale parue sous le titre *Laufen zum Abrehmen*
©2003, Gräfe und unzer Verlag Gmbh, Munich

Pour la présente édition :
© 2005, Éditions Vigot – 23, rue de l'École-de-Médecine, 75006 Paris, France.
Dépôt légal : janvier 2005 – ISBN 2-7114-1708-5
Imprimé en Belgique par la SNEL S.A. en décembre 2004 – 33331